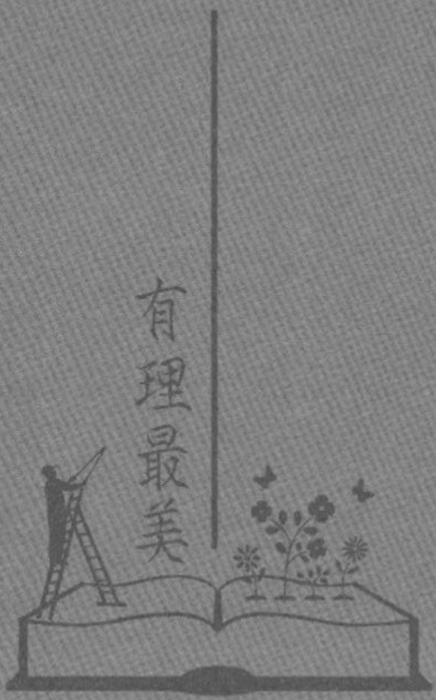
有理最美

有理最美

有理最美

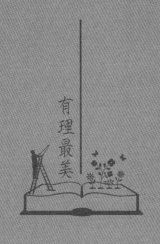

有理最美

有理最美

培養閱讀好習慣，增進大腦思考力

洪蘭——著

大眾心理學叢書

出版緣起

王榮文

一九八四年，在當時一般讀者眼中，心理學還不是一個日常生活的閱讀類型，它還只是學院門牆內一個神祕的學科，就在歐威爾立下預言的一九八四年，我們大膽推出《大眾心理學全集》的系列叢書，企圖雄大地編輯各種心理學普及讀物，迄今已出版達三百多種。

《大眾心理學全集》的出版，立刻就在臺灣、香港得到旋風式的歡迎，翌年，論者更以「大眾心理學現象」為名，對這個社會反應多所論列。這個閱讀現象，一方面使遠流出版公司後來與大眾心理學有著密不可分的聯結印象，一方面也解釋了臺灣社會在群體生活日趨複雜的背景下，人們如何透過心理學知識掌握發展的自我改良動機。

但多三十年過去，時代變了，出版任務也變了。儘管心理學的閱讀需求持續不衰，我們仍要虛心探問：今日中文世界讀者所要的心理學書籍，有沒有另一層次的發展？

在我們的想法裡，「大眾心理學」一詞其實包含了兩個內容：一是「心理學」，指出叢書的範圍，但我們採取了更寬廣的解釋，不僅包括西方學術主流的各種心理科學，也包括規範性的東方心性之學。二是「大眾」，我們用它來描述這個叢書的「閱讀介面」，大眾，是一種語調，也是一種承諾（一種想為「共通讀者」服務的承諾）。

經過三十年和三百多種書，我們發現這兩個概念經得起考驗，甚至看來加倍清晰。但叢書要打交道的讀者組成變了，叢書內容取擇的理念也變了。

從讀者面來說，如今我們面對的讀者更加廣大、也更加精細（sophisticated）；這個叢書同時要了解高度都市化的香港、日趨多元的臺灣，以及面臨巨大社會衝擊的中國沿海城市，顯然編輯工作是需要梳理更多更細微的層次，以滿足不同的社會情境。

從內容面來說，過去《大眾心理學全集》強調建立「自助諮詢系統」，並揭櫫「每冊都解決一個或幾個你面臨的問題」。如今「實用」這個概念必須有新的態度，一切知識終極都是實用的，而一切實用的卻都是有限的。這個叢書將在未來，使「實用的」能夠與時俱進（update），卻要容納更多「知識的」，使讀者可以在自身得到解決問題的力量。新的承諾因而改寫為「每冊都包含你可以面對一切問題的根本知識」。

在自助諮詢系統的建立，在編輯組織與學界連繫，我們更將求深、求廣，不改初衷。

這些想法，不一定明顯地表現在「新叢書」的外在，但它是編輯人與出版人的內在更新，叢書的精神也因而有了階段性的反省與更新，從更長的時間裡，請看我們的努力。

有理最美

Contents

02 教育不僅是教與育，還要懂得適才適育……063

03

教養是父母的課題，也是孩子成長的依據……105

04

人民離不開時事，必須懂得從中判斷與創造……163

05 活用你的大腦思考力，才能打造不失敗人生……205

06 生活處處是文章，也處處是學習

作者序

活著就是美，珍惜當下的人生

洪蘭

又有一本書要出版了，真是非常高興，連夜把書稿校對完，使它可以早一點印出來。其間，我妹妹打電話來聊天，講沒兩句，我就說：「你有什麼事嗎？」她馬上問：「你又在搞你的書了？」我說：「你怎麼知道？」她說：「你只要心中有事，說話走路會變快」。然後添上一句「你從來就沒有慢下來過，你在忙什麼呀！也不想想你幾歲了，你要跟老爸一樣躺在台大醫院還在校對嗎？真是搞不懂你！」唉！一樣米養百種人，我就是看到父親這樣珍惜時間，所以才不敢浪費一分一秒，怎麼同一父母所生，她卻覺得退休後應該去看鳥，悠閒過日子呢？

想想這差別還是在父母的教誨上。我比她大五歲，我小時候，父親教我念「一寸光陰一寸金，寸金難買寸光陰」，我一邊念，心中一邊想：「怎麼會呢？你只要給我銀子，我就會把光陰賣給你，何況金子？」到她出生時，家裡已經有五個孩子了，食指浩繁，父親晚上必須去兼課才能夠養家，所以沒有時間再教下面的妹妹念古書了。小時候的觀念影響我們一輩子，所以她跟我沒差幾歲，但對時間的看法就不同。難怪現在年輕人常抱怨無聊，覺得時間多到要殺（kill time），因為他們還沒有感受到時不我予的急迫性。

高中時，讀到韓愈的祭十二郎文：「吾年未四十，而視茫茫，而髮蒼蒼，而牙動搖」。在還要聯考的時代，我們連中午都不敢休息，是一邊吃便當，一邊背國文或英文，應付下午的考試。坐我旁邊的同學不屑地說：「誰叫他要活那麼久，變成這種邋遢相，如果是我，三十歲就好去自殺了，自古美人如名將，不許人間見白頭，年華老去是很可悲的事呀，人應該見好就收！」另一個同學聽到，馬上點頭表示贊同，大家都覺得韓愈老了還不藏拙，把老相寫出來惹人厭！

十六歲的我們，無法想像四十歲的樣子，大部分同學心中三十歲就是美人遲暮，正巧之前，讀到白居易的琵琶行：老大嫁作商人婦，商人重利輕別離，去來江口守空船……，描述的是無限淒涼的晚景，所以同學才會講三十歲就去自殺。

那時社會純樸，大家其實不知道什麼叫自殺。曾有同學寫週記說，每天都要考試，不如去死了算了。我們老師不但沒有叫她父母來學校談話，還把她叫去罵一頓，說都要聯考了，還在寫這些不切實際的東西，浪費時間。

我們那時真的是除了跳碧潭，連怎麼自殺都不會，因為那時台灣還沒有電視。我有個同學考不好，被繼母嘲笑，想自殺，她把童軍繩繞在脖子上，在楊桃樹底下站了二個小時，結果沒死，反而被蚊子咬個半死。第二天早上，她大驚小怪的來校，說不知〈孔雀東南飛〉中的「自掛東南枝」是怎麼掛上去的。後來我們才知道，上吊需要站在椅子上，把椅子踢翻才會死。

高中轉眼就過去了，最近我們開畢業五十三年的同學會，見到了那位當年說不忍見到自己紅顏老去，三十歲就要去自殺的同學，她現居美國加州，日子過的好得很。我們問她：現在雞皮鶴髮了，怎麼看待鏡中的自己啊？她說：自己看自己，怎麼看怎麼美！大家討論一番，最後的結論是：活著就是美，只要過的愉快，不必管別人怎麼說，珍惜當下的人生。

但是那天我心中還是有一點遺憾，就是那段無憂無慮的歲月，竟然為了考進台大，輕易的浪費掉了。現在回想起來，當時腦海裡，除了要考的功課，什麼人情世故，什麼人生的價值觀都不知道，真正做人做事的道理是出社會到處碰壁以後，才慢慢學會的，也深切了解愚者從自己的失敗中學教訓，智者從別人的經驗中學智慧。所以我一九九二年回台灣後，開始努力推動閱讀，尤其是偏鄉，用書本來彌補大人不能在身邊的遺憾。

閱讀是父母給孩子最好的禮物，只要把孩子帶進閱讀的門，讓他喜歡閱讀之後，大人便可以去忙自己的事了，因為書中自有先聖先賢來教孩子品德和做人的道理。

我回來時，台灣的經濟起飛了，台灣的錢淹腳目了，但是學生在品德上和書本以外的知識上，跟我們當年沒有什麼差別。而當年物質匱乏，大家一樣窮，能吃得飽就很滿足，人沒有什麼慾望，孩子不易變壞。現在不同了，電視每天教你什麼叫享受，演有錢人的生活是如何的奢華給你看，讓很多孩子心癢羨慕，甚至嫉妒到憤世嫉俗，人的慾望無法滿足時，就會挺而走險，為三千元去做車手，或為了一個手機去賣身了。我怕社會風氣影響孩子的價值觀，所以只要有機會寫專欄，我都接下來寫，因為價值觀不是一句兩句可以建立起來的，它需要像我們小時候，父母不停的耳提面命，讓這些觀念深烙到腦海中，內化成習慣出來。當習慣成自然時，父母即使不在身邊，我們也不敢暗室欺心了。假如能一個月寫十篇，一年就一百二十篇，積少成多，書就一本本出來了。

從校對中，我看到自己的成長，也慚愧以前的青澀，看到介紹進來的新知識對那些不知怎麼帶孩子的新手父母，或正在徬徨不知自己要念什麼科系的年輕人有幫助時，我就很高興。希望我的辛苦對他們有幫助，使他們少走一些冤枉路。我更希望能像父親一樣，一生不浪費任何時間直到生命終了。

將來若再見到父親時，希望能對他說：你平日常說的那句「無忝爾所生」我做到了！

第一單元

培養親子互動，就從讓孩子學會閱讀開始

培養孩子的閱讀力，就是培養專注力、記憶力和觀察力；強調語言必須透過互動，才能有良好的學習效果，而親子共讀有利於孩子的腦力活化。

父母別做另一個老師，給孩子安全感即可

父母的本分是給孩子溫暖的家、愛護他；孩子的本分是學習，以後能自立，這樣就可以了。

放學回家，發現門口蹲著一個人，定神一看，原來是樓上堂妹的女兒，問她在這裡做什麼？她說：每天在學校裡被老師管功課，回到家，媽媽又管她功課，變成另外一個老師，她覺得二十四小時被老師看管，受不了了，於是逃到我家來避難。

原來堂妹每晚陪她作功課、查作業，最近又依照市面上親子教養書的指示要陪她玩。她撇嘴說：「你們大人怎麼知道我們小孩子想玩什麼？那些遊戲根本就

是變相的作業。」

我想父母是望子成龍心太切了，連陪孩子玩時，玩的也是「如何增進記憶」這種訓練腦力的遊戲，難怪孩子不喜歡了。

其實，人的社會化（socialization）是跟同儕完成的，不是跟父母。我們只要提供安全的環境，在旁監督即可。

我常看到父母帶孩子出去玩時，意態闌珊地拖著孩子快走，嘴裡說：「快走，快走，這有什麼好看的。」人長大就失去了童稚之心，硬要大人陪孩子玩，大人不耐煩，孩子也無趣，兩邊不討好。

其實孩子要的是安全感，他不需要父母陪著玩，他只要知道父母在身旁，緊急時，父母可來救他即可。

我兒子小的時候，社區的住戶大多是加州大學的員工，因為作研究不分假日，雖然也是上班，但是彈性大，每週有一日，我會在家處理家務，這時，附近的孩子會聚集到我家，我一邊做家事，一邊看管他們。我發現男生女生很自然的會分開來玩，男生玩打仗，大的做總司令，小的作小兵；女生玩洋娃娃。我們輪流一週一天在家帶別人的孩子。這群孩子黑的、白的、黃的都有，他們在遊戲時，雖然都講英文，但是都學會了一些西班牙文、印度話和日文。現在兒子在矽谷做工程師，他說偶爾那些話還派得上用場，令我十分驚奇，大腦的確是凡走過必留下痕跡。

至於「媽媽不要做另一個老師」這點很重要。孩子在學校上了一天的課，他需要回家輕鬆一下，如果媽媽搖身一變，又變成老師來監督功課，孩子會覺得活得很辛苦、無法放鬆，覺得永遠逃不開批評的眼光。

大部分的父母覺得養孩子最辛苦的地方不是在養，而是在陪他做功課。其實完全不必如此，父母愈操心，孩子愈不開心。功課是他的事，他若不做功課，自有老師去收拾他，不可養成他依賴之心。教養孩子就要像英國海軍大將納爾遜（Nelson）在特拉法加戰役時說的「英格蘭期盼每人恪盡其責」。父母的本分是給他溫暖的家、愛護他，孩子的本分是學習，以後能自立，這樣就可以了。

多抱孩子，才能增加他們的安全感、愛和信任

父母抱孩子不會增加孩子的依賴感，反而會促進他大腦中催產素的分泌，產生愛和信任。

上週去香港中文大學參加「兒童大腦發展與語言習得」的研討會，茶敘時，有人放了一段大陸深圳在推的早教錄影帶：一個穿著白袍的中年女人（穿白袍不見得是醫生），把尿布檯上一個多月大的嬰兒翻過來，轉過去，滾動十幾次，然後將嬰兒的小手上下左右快速動一百次，再抓住嬰兒雙足，倒吊起來，像鐘擺一樣盪他十次。

這時，加拿大英屬哥倫比亞大學（UBC）的Janet Werker 教授驚呼：「這會傷

害孩子的大腦！」

孩子受不了大哭時，那個白袍女士毫不為所動，大聲說：「要這樣，全身皮膚才能都被刺激到，才能促進大腦發育。」最後她把嬰兒翻過來，搔嬰兒腳底板，嘴裡喝說：「爬！」嬰兒就向前蠕動了。母親在旁驚喜地說：「啊！我的寶寶兩個月就會爬了。」

大家都嚇到掩面不敢看。腳底有很多神經匯集，搔初生嬰兒的腳底板，他便會抽動，這是巴賓斯基的反射作用，有一個人說：「這個嬰兒不是在爬，他是在逃命啊！」又有個低沉的男聲說：「每個國家的父母都希望自己的孩子成龍成鳳，可是沒有一個國家的父母會這樣做，這是無知（ignorance）造成的虐待（torture）。」我聽了低下了頭，不敢回頭去看是誰在說話，因為我們台灣也有個父母為了要訓練他一個月大的兒子「獨立」，哭時不去理他，結果第二天早上發現嬰兒窒息死了。

這位父親說，他是依照《百歲醫師育兒寶典》一書「要放任他哭不可理會，哭就會得到注意的孩子以後會索求無度、不易滿足，今天不讓寶寶哭，寶寶明天就會讓你哭，寶寶哭不會受到傷害，相反地，他們會感到安全感」去執行的。這些是違反人性，匪夷所思的說法，最主要是這種「哭沒人理，會得到安全感」沒有任何的實驗證據支持，惻隱之心不是人皆有之嗎？為什麼父母會這麼狠心違背自己的良知讓孩子去哭到死，這麼相信一個沒有科學根據的說法，斷送親生孩子的生命？盡信書不如無書，我們的教育出問題了，已經為人父母了都還不會思考，我真的不懂為什麼要訓練一個月大的嬰兒獨立？他連路都不會走，要獨立什麼？

孩子第一需要的是安全感。有一個實驗是把一個四天大的熟睡嬰兒，放入核磁共振儀中（在核磁共振中不能動，因此只能在熟睡時做），在他耳旁播放父母吵架的聲音給他聽，並掃瞄他的大腦。他雖然才出生，還聽不懂大人的話，但大腦中的恐懼中心就活化起來了。在大自然中，沒有父母保護的動物是看不到第二天太陽的升起。孩子最怕大人不要他，因為他還沒有自衛的能力，沒有大人保護他會死。當一個嬰兒哭泣而沒有人理會他時，他心中的恐懼可想而知。嬰兒哭是他有所需求（生理上或心理上的），他還不會說話，哭是他表達的方式，我們怎可忽略哭？

其實，父母抱孩子並不會增加孩子的依賴感，反而會促進他大腦中催產素（oxytocin）的分泌，產生愛和信任。母親在生產和哺乳時，大腦會分泌大量的催產素增進親子的聯結（bond）。實驗發現，母鼠在舐小鼠時，兩者大腦中都會分泌催產素，這對小鼠的大腦和情緒發展有很大的幫助，如果把小鼠隔離，剝奪牠被母鼠舐的機會，這隻小鼠長大後會不合群，行為偏差，對牠自己的孩子冷漠，不是個好母親，可見肌膚接觸的抱有多重要。

實驗發現有和沒有被撫摸的早產兒，存活率和生長的速度不一樣；許多兒童病房都有請退休的護士坐在搖椅上抱著嬰兒輕搖，這種肌膚相接、被抱著的感覺會增加嬰兒的痊癒率。一個月大的嬰兒本來就是應該依賴父母的時候，為什麼要訓練他「獨立」？

父母親在替還不會說話或沒有能力自己作判斷的孩子決定各種大腦訓練時，請多用一下普通常識（common sense），或上網查一下實驗證據，先看一看別人推銷的「聰明術」正不正確吧，不要愛他反而害了他。

多與孩子相處，才能讓孩子的腦部活化

父母跟孩子講的話愈多，孩子左腦布羅卡區的活化愈大，他們入學後的語言認知能力及學業表現都會更好。

有位媽媽來信說，有人在幼兒園門口發大腦開發班的傳單，上面有名人背書，但是學費很貴，她原想用年終獎金送她的女兒去學芭蕾，因為學了芭蕾，走路風姿綽約，而女孩子容貌和儀態就是她的本錢，但是現在看到這份傳單，覺得大腦開發也很重要，她問應該讓女兒學哪一個，對她前途比較好？

我看了很驚訝，怎麼現在還有人不重內涵重表面？一個優雅、有智慧的醜男，在贏得美女的芳心上，最多不差俊男三天，而且效果持久。對女生來說，也是一樣，實力才是真正的工作保障。

其實很多醫生和學者都站出來反駁沒有大腦開發這回事，我們的大腦是用掉整個身體最多能源的地方——它只有三磅，佔我們體重的百分之二，卻用掉我們身體百分之二十的能源，因此不可能有待開發的地方，台灣有句俗語：「生吃都不夠，哪有剩餘去晒乾？」所以腦力開發其實是對大腦運作的誤解。

關於「我們只用到百分之十大腦」的謬思，第一次出現是在一九二九年的世界年鑑（World Almanac）：「科學家和心理學家說，我們只有用到大腦百分之十的能力。」但那是一個自我改進（self-help）課程的廣告，不是實驗證據。它所指的科學家和心理學家是哥倫比亞大學的教授詹姆斯（William James, 一八四二～一九一〇）。但是當學者實際去查證時，發現詹姆斯教授是說：「我們只用到心智資源的一小部分。」並沒有說是百分之幾。而在一八九〇年代，科學家不了解大腦，除了視覺皮質、聽覺皮質、運動皮質、身體感覺皮質區之外，大部分的皮質被稱為「沉默的腦」，因為不知道它們的功能是什麼。但是，現在每一塊皮質區的功能都被找出來了，連皮質下，比較原始腦的功能也都知道，這個謬思應該不存在。

其實父母不必節衣縮食地送孩子去學才藝或補習。近年來的研究都指出，父母和孩子相處的時間是決定他認知能力最重要的因素。

有個實驗是給三十六個低社經地位的父母一個可以連續錄十六小時的錄音筆，當孩子醒來時，就把錄音筆打開，記錄他這一天所有的言語，然後讓這些四到六歲孩子躺在核磁共振中，給他們聽故事，同時掃瞄他們的大腦。結果發現父母跟孩子講的話愈多，孩子左腦布羅卡區的活化愈大，這個活化又跟他們入學後的語言認知能力及學業表現有直接的關係。

過去的研究都發現社經地位低對孩子智力的發展不利，這個實驗找出不利的原因是在語文的刺激不夠，而這個刺激不夠不是被動看電視可以彌補的，父母需要跟孩子互動、跟他說話，電視不能取代父母。這也是第一次看到生活環境中的語言刺激可以直接幫助孩子大腦發展。

因此，只要在正常的環境中長大的孩子，他的大腦就能正常的發展，父母不必花錢去「開發」，大腦也無法「開發」。父母只要記住：不要截長補短，一個整天拔野草的園丁是種不出美麗的花，一直被挑毛病的孩子也發展不出他的長處。但是，長處發展出來後，短處自然沒有了，就好像花長得好，野草就沒有空間可出頭，因為它們競爭同樣的資源。**我們要的是五彩繽紛的花園——一個有多項能力的孩子，而不是一個沒有長處也沒有短處，好像一個沒有野草的園地。**

別為了討好，而不論對錯附和孩子

「教養」應該是先教後養，父母不要忙著賺錢給孩子最好的享受，忽略了及時改正他不當的行為和觀念。

放學時，在公車站，我看到一個幼兒園的孩子在跟媽媽撒嬌，說明天不想上學。因為車站擁擠，人聲鼎沸，我沒有特別注意他們說話，但是突然聽到這孩子說：「如果你要強迫我去上學，我就死給你看！」一個幼兒園的孩子講出這種話來，令我大吃一驚，馬上回頭去注意。

我看到這孩子跟他媽媽訴說老師的不是：「老師說坐下就要坐下，老師說排隊就要排隊，老師說喝水就要喝水，老師說……。」這媽媽馬上做出同情的表情，也用抱怨的口氣說：「你們老師好討厭哦，怎麼話這麼多。」孩子一看媽媽認同他，就馬上說：「是呀，老師好討厭哦，所有的規定都是老師說的。」

這時，媽媽轉頭跟另外一個小朋友的媽媽說：「唉，大人就是這樣，為了自己的方便就訂了這麼多規定出來，要孩子這樣，要孩子那樣。」我看到那個媽媽點頭，卻來不及聽她反應，因為我的車來了，得上車了。

一路上我在想：老師教孩子的這些，其實就是我們所謂的生活紀律。在團體中，大家行動要一致，沒有紀律，孩子無法學習。上課鐘打了，就要排隊進教室；老師開始上課了，就不能站起來走動；別人在說話就要安靜聽，不能插嘴；飯後要刷牙；午睡完的被子要摺起來……，這些不都是幼兒園教育的主軸——生活教育的細節嗎？怎麼反而批評老師多話、以為老師是為了自己方便才訂下這些規定呢？

孩子是從大人的眼光來看世界的，如果父母不尊敬老師，孩子怎會尊敬老師？他若不尊敬老師，怎麼會聽老師的話？現在孩子常常一點不高興就跟父母擺臉色或頂嘴、學生考試成績不及格跟老師拍桌子、年輕人動不動就公民不服從，攻進立法院……，這是否就是因為父母從小沒有教，所謂「寵豬舉灶，寵兒不孝」的結果呢？

三歲前是培養孩子好習慣的黃金時期，父母應該趁孩子模仿力強又崇拜父母的時期，把孩子教好，至少做到「使為則為，使止則止」，要能聽大人的話才行。

至於孩子這麼小就會說「死給你看」，父母要小心，怕他不懂什麼叫死，模仿釀成悲劇。這個母親應該立刻說：「死是什麼？教媽媽好不好？」（人是好為人師，一說「教大人」，孩子會盡量的說。）

然後就孩子的話去開導他，人死不能復生，不是卡通裡那樣，死了又活過來，給他正確的觀念，他不懂沒關係，以後會懂。《顏氏家訓》說「教婦初來，教兒嬰孩」，小時候不教，長大就不受教了。

現在很多父母為了要討好孩子、要作孩子的朋友，常不管事情的是非和對錯就附和孩子的話（這是錯的，父母是孩子的榜樣和行為的導師）。「教養」應該是先教後養，父母不要忙著賺錢給孩子最好的享受，忽略了及時改正他不當的行為和觀念。諾貝爾經濟獎得主詹姆士．赫克曼（James Heckman）說：「決定一個孩子一生成敗的因素不在智商和學業成績，而是自律、品德和毅力。這三點才是教養的核心。」

孩子的內隱記憶，幫助他們記得幼年時的經驗

我們以為孩子還小、不懂事，在他們面前胡作非為，其實他們清醒的每分都在學習，將各種抽象概念烙印到腦海。

在高鐵上，一位帶著二個孩子的媽媽，因為便當賣完在大發脾氣，當場表演潑婦罵街。我很不喜歡大人在孩子面前說髒話，便低聲跟旁邊的朋友說「壞榜樣」。想不到朋友聳聳肩說：「有什麼關係，反正他們還沒有記憶。」

我很驚訝問：「怎麼會沒有記憶？」

朋友說：「你不是說管記憶的海馬迴要到四歲多、五歲才成熟嗎？」

我聽了下巴差點掉下來。海馬迴的確是到四、五歲才成熟，我們對自己小時

候親身事件的記憶是要到那時才有（很多幼時的記憶是聽大人說的），但是不代表小孩子沒有記憶，因為還有一種內隱的記憶，它的機制和外顯的不一樣，儲存地方也不同。小時候的內隱記憶比外顯記憶還更重要，它跟著我們一輩子，只是因為是內隱，我們不知道自己有這個記憶而已。這是為什麼神經犯罪學家說，二歲前的虐待後果比五六歲時的嚴重，而五六歲時的虐待後果又比十二三歲時的嚴重。

最近《科學》期刊有一篇文章很可以說明這一點。牛津大學的動物學家給出生一天的小鴨看二個會動的東西，這二個東西可以是相同的或是不同的顏色或形狀。然後再給牠們看二個完全新的、會動的東西。如果小鴨子在第一天「銘記」（imprint）的是二個綠色的圓球，那麼這隻鴨子就喜歡二個藍色的圓球，而不喜歡一個黃的、一個紫的圓球；如果第一天看到的是正方形，那麼牠們就喜歡正方形而不喜歡三角形。這表示鴨子可以了解抽象的關係，牠們用顏色、形狀、聲音和氣味來辨識牠們的母親。

過去我們認為只有人類才有抽象關係的概念，其他動物如貓狗、鴿子、老鼠要經過訓練才會，現在發現鴨子沒有訓練也會。

在發展心理學上，孩子天生有三個基本的學習能力：**形成和辨識型態（pattern）的能力、推論的能力和做比較的能力**。這三種能力讓孩子透過錯誤學習來建構知識，形成鷹架（schema）。它是天生的，但我們常忽略它的自動性，總以為孩子還小、不懂事，便在他們面前胡作非為，其實他們清醒的每一分鐘都在學習，在比較各種抽象的概念，然後烙印到腦海中。幼年時的學習跟生存最有關，小雞若分辨不出圓形（穀粒）和其他形狀的差別就不可能存活。過去認為只有動物才有銘記，現在慢慢覺得說不定人類的嬰兒也有，只是實驗還沒有這個能力去測出來罷了。

童年是教養的黃金時期，父母不要錯過了。

珍惜與父親的情感，莫留下任何遺憾

看到父親節的來臨，真是羨慕那些仍有父親可依靠的人。好好的珍惜現有的吧，不要花落空折枝，長留遺憾！

父親節快到了，商家在各種媒體上大作廣告，給人感覺現在的節日商業氣氛都太濃了，反而失去原本的意義。其實父親和母親一樣，要的不是禮物，而是孩子衷心的感恩。

諾貝爾文學獎得主莫言說過一句很好的話，他說：「我負責兩種人：生我的人；我生的人。」生兒育女是生命的延續，它是權利也是義務。對父母我們要養，不但養，還要有敬，孔子說：「不敬何以別乎？」對子女我們要教，教養是先教後養，教比養重要。這兩者是我們的義務和責任，不能丟給國家。現在的報紙上常看到棄養父母或虐待子女的新聞，真是令人搖頭。

在法律上，男女是平等的，但是在生活上，媽媽的比重好像多一些。不過我們都知道，當你闖禍闖到別人到你家門口叫陣說：「把你爸給我叫出來！」時，你就死定了。我們在玩家家酒時，大家都搶著做媽媽，因為扮爸爸的，在講完「我去上班了，再見」就沒戲唱了。

有研究發現爸爸死了，媽媽還在，那麼這個孩子在物質上貧乏些，其餘沒什麼差別；但是媽媽死了，這孩子就可憐了，因為有了後媽就有後爸。在傳統的印象中，男人的角色就是養家，一個男人只要負責了一家的溫飽，他就算是好爸爸。中國的媒婆喜歡說：「嫁漢，嫁漢，穿衣吃飯。」好像男生最重要是會賺錢，這點我非常不苟同。

或許是因為大家覺得在外面討生活比較不容易，所以家裡有好東西都是先留給爸爸，媽媽反而是吃剩菜的人。加上男人聲音本來就比女人大，當家中孩子吵鬧，媽媽管不了時，通常是爸出來大吼一聲「安靜」，孩子就嚇到噤聲，所以爸爸給人比較重要的印象。在我們家，不管什麼事，吵到我爸面前那就是最高法院三審定讞，沒有駁回更審的餘地，因為我爸是說一不二。只要有人傳話：「爸叫你去做ＸＸ。」就得乖乖去做了，不像媽媽常可以討價還價。

民國四十三年，我姐姐考上北一女，她拿同學的制服回來給我媽媽看，表示開學後要穿這個（那時沒有成衣可買，要自己做），我媽一看便說：「怎麼有這種顏色的制服？」就回頭對我們說：「你們聽著，將來統統給我去念這個學校，家裡沒有錢給你們做新的制服！」她常威脅我們考不上公立學校就去做下女（當時傭人叫下女，應該是個日本名詞）。我們小時候都信以為真，死命的念書，後來才發現我媽喜歡威脅，她的話常不必當真。但我爸就絕對不行，所以我們的品格和習性是我爸爸訓練出來的。他不常開口，也不講重話，但是他如果罵了誰，那個人就真的要閉門思過了。父親常說名譽是人的第二生命。**孩子其實不必打不必罵，只要教會他自重和自愛，他的品德自然就好了。**

父親仙逝已經十五年了，但是他對我們的影響仍然隨時出現在日常生活中。看到父親節的來臨，真是羨慕那些仍有父親可依靠的人。好好的珍惜現有的吧，不要花落空折枝，長留遺憾！而身為人父的年輕爸爸，也應體會到孩子是上天的福賜，好好的陪孩子成長，享受這天倫之樂！

限制孩子怎麼用錢，不如教他正確使用法

這就是孔子說「毋友不如己者」的意思吧，我們每天都能從朋友身上學到很多人生的道理呢！

昨天吃午飯時，一位同事突然問：「你們孩子今年的紅包錢拿了多少？」大家有點吃驚，但是還是紛紛誠實回答，一般平均在五千元左右。這位同事說：「我的大姑給我兒子二萬元，還告訴他要藏好，不可以被我偷去。」我們聽了都嚇一跳，給一個六年級的孩子那麼多錢幹什麼？

她忿忿不平的說，她原是想等到兒子上國中，有正確的金錢觀念以後再給他錢，但是她的大姑不以為然，每次看到他兒子就說：「你好可憐哦，都沒有零用

錢可花，來，想吃什麼，大姑姑帶你去吃。」她沒有想到今年過年時，大姑竟然出了這麼一個狠招。

她就想，好吧，反正孩子明年就上國中了，就用這個錢來教育他。她就跟孩子說：「你有這麼多的紅包錢，可以請媽媽去吃一頓嗎？」孩子很大方的說：「當然可以。」就從紅包中數了十張紅色的百元大鈔說：「這應該夠了。」她忍住笑，跟孩子說：「財帛動人心，別人看到了會羨慕，你有他沒有，他就會想偷你的，錢上沒有名字，丟了找不回來，錢一定要小心放好，記住，財不露白。」

她們進館子後，先點了一籠小籠包，當包子上來時，她叫孩子把二百元壓在蒸籠底下說：「等一下好付帳。」過一下，叉燒包來了，她又叫孩子把錢壓在盤子底下，這樣沒吃幾道，孩子手上的鈔票就只剩一張了。她還想再點時，兒子就攔住她說：「媽夠了，你怎麼吃那麼多。」她說：「請客要讓客人吃飽耶，我還沒飽呢！」孩子說：「你可以回家再吃。」她說：「這樣吧，我本來還想再叫一碗麻辣麵，現在我帶你去超市，你買麵，我回家煮。」孩子很小心的把最後一張鈔票塞進口袋說：「我們走吧。」她到超市買了一包關廟麵，問孩子：「這包乾麵一百元，裡面有二十小包，每一包是多少？」孩子說：「五元。」她就說：

「你看，店裡一碗要七十元，我們自己煮只要五元，自己做飯省很多呢！」

她說那天，她一邊煮麵，一邊跟孩子說她要賺到每天的生活費，必須早起晚睡去教書，話說多了，喉嚨又會痛；為了省錢，中午都是帶便當，所以週末必須先把一個禮拜的菜燒好放進冰凍室……，過去這些話孩子是不想聽的，但是那天他沒有走開，他在感受到了錢不好用後，開始思考以前沒有想過的問題了。同事說原先很氣大姑，後來反而感謝她給了這個機會。

另一位教諮商的同事說，每次婆婆和媳婦為教孩子的方式不一樣而吵架時，她都勸婆婆放手，讓媳婦教。因為孩子是媳婦的，萬一孩子不成才時，人家是罵「你媽沒有把你教好」，而不是說「你奶奶沒有把你教好」。**既然是媳婦要負責任，這個主控權就要在媳婦手裡，不然有責無權不公平。**

那天的午餐雖然才短短三十分鐘，帶給我們的反省卻是三個晚上都不止。或許這就是孔子說「毋友不如己者」的意思吧，我們每天都能從朋友身上學到很多人生的道理呢！

培養吃的正確習慣，第一步就是別強迫餵食

三餐正常，不給零食，肚子餓時，自然會吃很快；若是他不想吃，也不要強迫他吃，因他不餓，強迫吃是虐待。

一位幼兒園的老師說，她園中有位小朋友極端偏食，對吃飯恐懼，已經嚴重到一想到吃飯就害怕到吐，她問該怎麼辦？

吃是求生的本能，許多動物都花三分之二的清醒時間去覓食，所以想到吃會吐，可能已經嚴重到「身心症」（psychosomatic）的地步了。

身心症是心理所引起的生理反應，《侏羅紀公園》的作者麥克・克萊頓（Michael Crichton）原是哈佛大學醫學院的畢業生，因想去洛杉磯拍電影，家人

反對，他便不自覺的發展出「多發性硬化症」（multiple sclerosis）的癥狀，被判斷最多只有三年可活。家人在無可奈何之下，只好同意他去追夢。他在飛去洛杉磯的途中，突然發現他的手可以動了，硬化症沒有了。

所以要解除這個孩子的恐懼症必須先消除心理壓力，就是不要再強迫他吃，等到他餓了，求生存的本能出現後，再給他吃，這時的吃是感恩的進食，可以消除恐懼。但是因為他嚴重偏食，我們不能再強化這個壞習慣，怎麼辦呢？

我想起來，有一個朋友，他的兒子從小到大只吃二隻腳的動物，不吃任何其他的，父母、老師都拿他沒辦法。但是當他從成功嶺受訓回來後，連肥豬肉都吃了。我們開玩笑說，這叫「置之死地而後生」，排長、連長哪裡會像父母一樣求他吃？他不吃就餓死，很快就什麼都吃了。只是小孩子沒有成功嶺可送，唯一方式是參加夏令營，在嚴格的團體生活規律中，改掉這個壞習慣。

偏食最大的問題是營養不均衡，對正在發育中的大腦不利。曾有人質疑為什麼要給幼兒吃那麼多種不同的食物？這個目的就是要在他小的時候，習慣各種不同的食物，長大才不會偏食。人在演化的過程中，學會對不熟悉的東西有戒心，因為誤食會送命，但是母親給的可以放心的吃，因為母親代表安全。同時人喜歡熟悉的口味，小時候的大餅或媽媽的味道會在腦海中留下深刻的印象，離鄉愈久，懷念愈深，所以小時候要盡量讓他嚐試不同的食物。

從小養成吃飯的習慣和禮儀很重要，可惜現在都做不到了，有的家庭是開流水席，何時到家何時吃；也有父母在吃飯時，盤問孩子功課，使孩子食不知味；更有父母嚴格執行不吃完碗裡的飯不准下桌，造成孩子睡著在餐桌上了，嘴裡還含著飯。這些都是不對的，三餐正常，中間不給零食，他肚子餓時，自然會吃得很快，不必追著餵飯；若是今天他不想吃，也不要強迫他吃，因為他不餓，強迫他吃是一種虐待。

好習慣要從小養成，長大才改，吃力而不討好，不可不慎。

培養孩子的閱讀力，就是培養專注力、記憶力和觀察力

不要擔心孩子沒有足夠的專注力、記憶力和觀察力，只要喜歡閱讀，這三項能力自然會出現。

經濟是個供求關係，當老人愈來愈多時，防止失智的藥就變成生意的賣點；當孩子愈生愈少時，讓孩子變聰明的書也變成生意的賣點。有家長問我，觀察力、注意力和記憶力可不可以培養？父母需不需要買益智的書回家訓練孩子？我先舉美國的例子，再從大腦的發展來回答。

最近美國一家線上遊戲公司「Lumosity Lab」因宣稱只要玩他們的遊戲十個禮拜，每次十至十五分鐘，每週三到四次，學生的學業成績、老人的認知能力就能

大幅提昇，結果史丹佛大學和美國國家衛生研究院（NIH）的學者站出來抗議，他們說完全沒有實驗證據，更被美國聯邦貿易委員會（Federal Trade Commission）罰了二百萬美元；另外一家Word Smart公司宣稱只要用他們的訓練軟體每週二十小時，就可以提昇孩子學業成績一級（從B到A）、增加SAT成績二百分，及ACT成績四個百分點。結果也因沒有任何實驗證據遭罰。

還有幾家也在懲處名單上，一家叫「紅蘿蔔神經技術公司」（Carrot Neurotechnology）宣稱他們的遊戲可以訓練視力（eyesight）；另一家叫Focus Education宣稱可以訓練孩子的注意力。

所以對於沒有實驗證據的產品，父母不要貿然去買，免得揠苗助長反而讓苗枯死。其實父母不必擔心孩子因刺激不夠而大腦發育不良，現代的學者反而擔心父母給太多的不當刺激，妨礙了大腦的發育。

實驗顯示，人的大腦會不停地因環境的需求而改變內在組織結構及神經的連接，文盲和知識分子的大腦結構就有不同；小提琴家的左手小姆指在運動皮質區佔的區塊就比一般人大。當一個行為做了一萬小時以後，這個人就是這個領域的專家，因為神經迴路已變得很大條，臨界點很低，很容易被活化起來，使行為出現。

又因為人看不見他不知道的東西，也聽不見他不知道的聲音（英文裡，see和observe意義不同；hear和listen也不同），所以孩子必須先大量閱讀，有背景知識之後，才能快速的吸收新的訊息。實驗顯示閱讀、運動、遊戲是促使神經連接最好的三個方法，孩子只要從小閱讀，他的專注力會增加（閱讀時眼睛要看著字，不能游離），觀察力會敏銳（背景知識讓他看到應該看的事物），這是大腦自然運作的結果，不必靠外力幫助。

訓練孩子去做這些他長大後本來就會有的能力的作業，最大的壞處是壓縮他遊戲的時間，因為訓練一定要反覆練習，神經才會連在一起。對幼兒，反覆的訓練會澆熄他對學習的興趣，進學後，會出現所謂的burn-out（燃燒殆盡），對所有的學習無興趣，而興趣（在學術上叫動機）是學習背後真正的推手，在腦造影的片子上看到，只有主動學習才會造成神經的連接。

研究發現，遊戲時，神經大量連接，大腦也大量分泌神經的營養素BDNF。BDNF是大腦發育的寶，幫助神經細胞長出新的分支並啟動基因，製造出更多的蛋白質和血清素來增進記憶力和學習。兒童在遊戲中發揮他的想像力，學習人際關係和團隊精神。這些是他將來進入社會真正需要的能力。而父母所在意的記憶力其實是個熟悉度，人對熟悉的東西比較容易記住，閱讀是目前增進記憶最好的方式，因為生字看久了就變成熟字，自然就記得了，不須特別訓練。

二千五百年前，柏拉圖在他的《理想國》中說：「二十歲以前的雅典公民只要學習音樂和體育就好了，因為健全的體魄、完整的人格是教育的終極目標。」

父母不要為了孩子小時候會做什麼而驕傲，而要看他長大後，能做什麼大事而欣慰。不要擔心孩子現在有沒有足夠的專注力、記憶力和觀察力，只要他們喜歡閱讀，這三項能力自然會出現，研究發現成功的人他們小時候都喜歡閱讀，因為閱讀提供了這三項能力的大腦機制。

培養親子心靈交流的習慣，才能增加情感

孩子喜歡聽父母成長的故事，跟孩子說自己故事的父母，跟孩子的關係愈親密，孩子會從父母的成長過程找到認同。

在一位朋友的壽宴裡，我聽到她以前教過的學生在抱怨她們念國中的孩子叛逆不聽話，甚至懷疑自己是不是有什麼地方做錯了，孩子才會如此。我很驚訝，因為她們本身就是國中老師，照說是最懂得這個年齡孩子心理的，怎麼反而懷疑自己了呢？

其實，天下沒有十全十美的父母，只要盡心盡力了就好，不必自責。孩子進了國中後，父母對他的影響力遠不及同學，研究發現影響國中生最大的因素是他

所看的書和所交的朋友：前者是知識的內化，後者是行為的模仿。所以父母要注意跟孩子來往的朋友，古人說：「近朱者赤，近墨者黑。」孟母三遷是有其道理的。

青少年為什麼這麼在意朋友對他的看法，不惜犧牲自己的本意去討好同學呢？因為人是群居的動物，需要跟別人在一起才有安全感，落單的動物會是別人的晚餐。當他對自己沒有信心，不知道別人喜不喜歡他，就會不由自主去模仿別人，或附和別人的意見來讓別人知道自己認同他，想和他做朋友。因此，父母在**這個階段要用心幫孩子找「友直、友諒、友多聞」的益友，也要盡量花時間和孩子溝通，才會知道孩子在想些什麼。**

他們說跟現代的孩子溝通很困難，他們不喜歡聽父母說話，每天放下碗筷，就立刻回房間去打電玩，不讓你有跟他說話的機會。但愈是如此，大人愈是要想辦法，把握孩子還在自己身邊的寶貴時光影響他們，不然離家去上大學就來不及了。其實親子溝通最好的方法是從生活中去進行。

我們那個年代，做人做事的道理是從父母親跟別人閒談聊天中學來的，比如說，夏日夜晚，門口乘涼就是一個好機會。大人會說「做人比做事難，人不能為別人的行為負責任，沒有主控權的事不要做」等，這些都是金玉良言。

我記得有一次，收音機中報有人囤積糧食被抓。父親就說囤什麼都會壞掉、爛掉，只有囤知識歷久彌新。明朝解元唐伯虎，出門不必帶錢，沒錢時畫個扇子、寫個字，拿去賣就有盤纏。用知識換錢永遠都不需擔心匱乏。因為這是聽故事而不是說教，所以一聽就記得，了解自己一定要有一技之長，以後生活才不必憂慮。

很遺憾的是，現在的孩子很少有機會聽父母說古。設計美國越戰退伍軍人紀念碑的林櫻，她的祖父是林長民，是林覺民烈士的堂哥，也是林徽因的父親，因此林徽因是她的姑姑。有人認為林櫻的建築設計天分來自遺傳，但是當記者問及林櫻時，她說她不知道有這門親戚，她們兩人都這麼優秀，血緣也這麼親，卻這麼生疏，令人遺憾。

許多人不跟孩子談過去，其實最近的研究發現，孩子很喜歡聽父母成長的故事，愈是有跟孩子說自己故事的父母，跟孩子的關係愈親密，因為孩子從父母的成長過程中，找到自己的認同。要避免孩子走上歧途，父母需要知道他在想什麼、做什麼，心靈的交流是唯一的方式。

語言必須透過互動，才能有良好的學習效果

第一語言學習的愈好，第二語言也會愈好。語言本是人類自然發展出來的溝通方式，教和學的方式愈自然，效果愈好。

「啟蒙」表示初學，學母語不需要什麼課綱，對第二語言可以，但要看學生的年齡，及第一語言的純熟度。母語已經純熟、且有完整的語言知覺（Linguistic Sense）的人可以，但效果仍不如與真人互動的效果好。

語言的學習非常需要與真人互動。母語因為是內隱的學習，它不需人教，只要處在說那個語言的情境中，孩子自然學會。第二語言的學習比較複雜，它要看年齡，通常在敏感期（我們不用關鍵期，因為關鍵是有或沒有，有決斷的意思；

而敏感期彈性較大），即在青春期之前暴露在那個語言的情境中，都可以學到沒有口音的流利程度。一般來說母語學的愈好，第二語言的學習就愈輕鬆也愈好。

有一個很好的例子說明互動的重要性：我的朋友買了一隻鸚鵡，掛在廚房外面的走廊上，雖然每天放錄音帶給牠聽，連續放了一個多月，都沒有學會講話。我請他把鸚鵡改掛到客廳的玄關處，他每天進門跟家人打招呼時，也跟鸚鵡打招呼，牠在聽到人怎麼跟別人講話後，很快就學會了說人話（這隻鸚鵡會講的第一句話竟然是「你功課作完了沒有？」），所以語言的學習是需要互動的。

四歲左右因為管記憶的海馬迴尚未成熟，那時的學習是屬內隱的學習，在進小學之前的學習都是屬於內隱學習的範疇，跟就學後，記憶法國首都在巴黎、美國總統是華盛頓等外顯學習，用的機制不同，儲存的地方也不同。所以孩子要學習英文最好的方式是提供他學習的環境，用互動的方式，讓他跟說這語言的小朋友玩，為了玩，他必須和別人溝通，很快就自然學會了，而且不會誤用，因情境提供了準確的用法指引。

用視訊網路課程來學，就好像父母不親自念書給孩子聽，只放錄音帶，這是沒有用的，孩子必須透過在情境中、在互動中，學會這個字的用法。

曾有中國留學生去美國鬧了個笑話，flesh 和 meat 在中國字典上都是肉，但 flesh 指的是人肉，meat 指的是動物的肉。這個學生與室友一起搭伙，他看到冰箱內做三明治的肉沒有了，便在冰箱上貼個條子告訴室友：「下次去超市買菜時，別忘了買 flesh。」因為我們不吃人肉，就鬧了笑話。所以語言的學習在生活中透過互動學習是最好的。

互動的重要性也有個例子，研究發現父母雖都是聾啞，但生下的孩子中，有四分之一的機會是聽得見的正常人，所以當時在加州有人建議政府應該提供這些聽力正常的孩子學習聽人語言的機會，讓他們發展出口耳溝通的語言能力。當時這個建議被州議員否決了，說何必花錢請人去孩子家中跟他說話呢，買個電視給他看就可以了。三年以後，這些孩子並沒有從看電視中學會語言，可見語言的學習必須是互動才有效。

父母不需要在一開始時，花很多錢讓孩子透過視訊去學習英文，但是孩子已經會英文了以後，倒是可以透過視訊去加強，因為他已經有了語言的基礎。第二語言的學習是架在第一語言的上頭，第一語言學習的愈好，第二語言的學習也愈好，因為語言的敏感度需要靠第一語言去建立。**語言本是人類自然發展出來的溝通方式，教和學的方式愈自然，效果愈好。**

親子共讀有利於孩子的腦力活化

即使大腦中有說話的機制，還是需要語言的刺激來啟動，而親子互動是關鍵。共讀愈多，孩子的詞彙就愈豐富，閱讀力、表達力、理解力和注意力都愈好。

最近美國小兒醫學期刊有一篇論文，指出零到五歲是大腦神經發展的黃金時期，父母應盡量和孩子親子共讀。

這個實驗是在給二十二名四歲低社經地位兒童聽故事時，掃瞄他們的大腦，然後觀察親子在休息室中互動的情形，再將此與大腦掃瞄圖求相關。

休息室中擺有流行的雜誌（看母親會不會自動拿起來看）、連 Wi-Fi 的密碼（看母親會不會拿出手機來上網）及兒童圖畫書。假如母子在三分鐘之內，都沒有拿起書來看時，實驗者會進來告訴他們，這些書是送給他們的，鼓勵他們一起閱讀。十五分鐘以後結束觀察。

結果發現會自動拿起書來看，或讀給孩子聽的母親，她們的孩子左腦聽覺皮質的音韻覺識（phonological awareness）區大量活化起來，這區和閱讀能力有關；孩子自己會拿起書來看的，大腦活化的更多；滑手機不理會孩子的母親，孩子大腦語言區活化的最少。

人說話是個本能，閱讀則需要後天的教導，但是即使大腦中有說話的機制，它還是需要語言的刺激來啟動，所以親子的互動是關鍵。親子共讀愈多，孩子的詞彙愈豐富，閱讀力、表達力、理解力和注意力都愈好。

孩子在聽故事時，連掌管計畫、策略、情緒控制等執行功能的前腦也都會活化起來了。研究發現有些注意力缺失過動的孩子是在小的時候，沒有親子共讀的機會，使他們這部分神經接合有缺失。

這篇論文支持了台北醫學大學在高雄那瑪夏鄉的閱讀計劃。偏鄉教育資源不足，很多人家中沒有書，父母本身也不閱讀，因此孩子會錯過大腦發展的黃金期。但是幼兒一定要打預防針，因此北醫的學生便透過衛生所，在嬰兒來打預防針時，給母親書，要母親每天讀書給孩子聽。當母親指著字慢慢念時，嬰兒的眼睛會追隨母親的手指而移動，這對孩子上學後的專注力很有幫助。每次來打預防針，每次換新的書回去，母親只要每天花一點時間共讀，便造就孩子的一生。

宜蘭羅東博愛醫院的小兒科醫生也在做同樣的事。看到工作繁重的醫生硬擠出時間來關心孩子，真是非常感動。

台灣最美的是人，敬告教育部：教育的投資是一本萬利穩賺不賠的事，尤其在大腦發展的時候！

嬰幼兒靠哭來表達需求，只有愛才能滿足他們的需求

大自然知道嬰兒不會說話，讓嬰兒哭來表達需求。請不要說哭是訓練肺活量，請愛他，不要讓他哭到睡著，這樣太殘忍。

連續二次去演講，都有家長拿著保姆在公園裡強迫嬰兒爬「天堂路」的剪報來問我：「嬰兒是否應該從小訓練？」我很驚訝，小嬰兒要的是愛，不是訓練，嫩嫩的皮膚爬水泥地會磨破，細菌進去會發炎，我不懂，這麼小，訓練什麼？孩子連話都還不會講，鍛練品格的什麼呢？

跟這幾位家長談了以後，我很憂心。我們的國民太缺乏「獨立思考」的能力了。常常因為別人做，就一窩蜂跟進，沒有去思考它適不適合自己的孩子。馬克

吐溫說：「人並不想花時間去研究或思考以得出自己的意見，人喜歡盲從別人。」真是太對了，懶人包就是一個例子，這是危險的。

小嬰兒因為他的口腔塞滿了舌頭，不易轉動，同時控制舌頭、嘴巴的運動皮質區，尤其神經纖維外面包的髓鞘尚未發展完成，所以不會說話。但是不會說話不代表他們沒有感覺、沒有需求，不能因為他們不會說No，就認為是Yes。

有些台灣父母聽從日本教養專家說孩子哭不能抱，要等他不哭才抱，不然就是鼓勵他哭。這是不對的，哭是他們跟外界溝通的方式，諾貝爾文學獎得主約翰·史坦貝克（John Steinbeck）曾說：「孩子最大的恐懼是沒人愛，被拒絕是他們最害怕的地獄。」嬰兒有需求，哭而沒有人理，會使嬰兒產生無助感，影響他以後情緒的正常發展。

若是才餵過奶，尿布是乾的，那麼嬰兒夜哭，一定有什麼地方不舒服，父母可以看看是不是肚子脹氣在痛。這時，搓揉小腹，將氣排出就不哭了。我兒子剛出生時，我媽從台灣寄了一盒萬金油到美國。我還在想，寄這幹什麼呢？當天夜裡，孩子哭，我正摸不著頭緒時，看到桌上的萬金油，便塗一點在他肚臍上，順著時鐘方向按摩一下，他就沉沉睡去了。才知道原來前幾天他哭是脹氣不舒服。

孩子一般不會怕黑，除非有人講鬼故事嚇他。嬰兒房最好有盞小燈，有人說點夜燈會傷害孩子的大腦，這完全沒有實驗的證據。我們視叉上面有個管生理時鐘的神經元組叫視交叉上核（suprachiasmatic nuclei, SCN），小夜燈不會影響它的功能，反而是房間沒有燈，孩子醒來會哭，因為看不見東西，不知自己身在哪裡，會有不安全感。父母進來扭開天花板上的大燈時，驟然的強光反而對孩子不好。

大腦夜晚也在學習，孩子學會原來同一個東西白天和夜晚看起來會不同。其實孩子眼睛一張開，大腦就開始學習，不停的處理五官送進來的訊息，並不論白天或夜晚，嬰兒這個時候的學習是 trial & error，大腦依感官送進來訊息形成各種可能的解釋，再依陸續進來的訊息將不對的剔除，最後留下的是目前最正確的。但這個最正確的解釋到明天又會被更新、更好的解釋所取代。大腦就這樣逐步建構出小嬰兒對外界環境的了解。

很多父母喜歡把初生嬰兒的胳肢窩撐起來，看他是先邁左腳還是右腳，以為這可以預測他將來是左撇子還是右撇子。這也完全沒有實驗證據。事實上，一個月後，嬰兒就不肯再讓父母撐著他走，因為在這一個月中，他體重增加了很多，但膝蓋軟骨尚未發育完成，直立站起來時，重量在腳上，膝蓋會痛，他就要哭了。如果這時把他放在水裡，水有浮力，他的膝蓋不痛，他又肯了。

其實孩子是左撇子有基因上的關係，家中應該有人是左撇子。一九七九年，加州大學柏克萊校區心理系的研究發現左撇子的人並沒有比較短命，也沒有比較有藝術天才，左撇子的人右腦比較發達，大自然天生會讓人用最擅長的手去做事，研究者的結論是左手右手一樣好，強改反而會造成孩子學習和情緒的障礙。

大自然知道嬰兒不會說話，無法抗議不當的措施，所以給嬰兒哭的能力來表達他的需求。請不要說哭是訓練他的肺活量，請愛他，不要讓他哭到自己睡著，這樣太殘忍。孩子要教，但要看他準備好了沒有（readiness），無數的實驗告訴我們，**只有在愛的環境下長大的孩子，情緒和品格才會正常的發展，才會成為一個正直有用的良才。**

第二單元

教育不僅是教與育，還要懂得適才適育

好老師是一切教育的根本，教育的目的不在製造天才，而在培養全人。

學生應首重品德，而非功課；我們要用愛來激勵孩子。

中國字的美與智慧

其實中文是最有對稱美的。國文的根基愈好，看古書的能力愈強，愈能體會到做一個中國人的驕傲。

每年暑假，我們都會辦一個神經科學夏令營，免費教對大腦有興趣的學生，他們只要自付膳宿即可。因為已經辦了十年，有了口碑，所以來參加的港澳和內地學生不少。最近因為教育部要刪減文言文的篇數，我在吃飯時，就隨口問了這些也是說中文，但不在我們教育體系下長大的學生，他們對文言文的看法。

一個念物理的學生說，他現在背包裡，就有一本唐宋詩詞選，每當念不下書時，就會拿出來看一看，紓解心情。他喜歡李清照詞中的疊字，例如：尋尋覓覓、冷冷清清、悽悽慘慘戚戚。他說中國的詩詞很美，就像在吟唱一樣；另一個學生馬上說：「我也喜歡她的詩詞，我是烏鎮人，每次過江回去念大學時，我都會想起她的『至今思項羽，不肯過江東』。」

澳門來的學生則說他的文言文是自修的。有一次，他讀到文天祥的「留取丹心照汗青」，他不知道什麼是「汗青」，還以為是「汗巾」。後來查百度，才知道古人在竹簡上刻字時，竹子要先烤乾才能用，烤時，竹子會出水，好像人流汗一樣，所以叫汗青，處理完的竹子叫「殺青」。他說難怪香港電影拍完了叫殺青。他從古文中學到很多的中國文化，這些知識甚至改變了他的行為。比如說，他現在很愛惜紙，雙面用完才丟棄，因為看到古人要寫個字多麼不容易，就懂得惜福了。

我問他們，既然念的是理工，也考上了大學，為什麼還會自己去拿古文起來看？他們都很驚訝地看著我，覺得我這話問的奇怪。那個念物理的學生說，其實中文是最有對稱美的。他初進清華時，有人告訴他，早期的入學考試是考對子，因為陳寅恪堅持考對子，才能夠測出學生的程度，當時出的題目是「孫行者」，有人對「胡適之」，他不知好不好，但從此對中國字的對仗有了興趣，開始自己去探索。

一位來自香港的教授說，他也是這樣對中文有興趣的。在九七時，香港流行個謎語「港澳的窮人」，打論語一句。謎底是「貧賤不能移」。他說，當時他的左鄰右舍、親戚朋友都移民到英國、加拿大和澳洲去了，只有他們家窮，付不出移民律師費，留在香港。他說中文太有趣了，他立即隨口說出幾個謎題：「明年今日好還鄉。」打成語一句。謎底是「滿載而歸」，因為明年今日正好滿一年，就是滿一載。

看他滔滔不絕的拋出謎題，我突然想到如果我們的國文這樣教，學生怎麼會不喜歡呢？**國文的根基愈好，看古書的能力愈強，愈能體會到做一個中國人的驕傲**。冬天下雨不能出外時，去書架上抽一本《夜雨秋燈錄》或《閱微草堂筆記》起來看，那真是趣味盎然，不知東方之即白。

做一個中國人不能享受到祖先的智慧，不是太可惜了嗎？

用愛激勵孩子

恨的力量比愛大，它蠶食你的心，使你痛苦一生。激將法對某些大人可能有效，但對孩子不合適，仇恨帶給孩子的痛苦不是以後成功就可以彌補。

在一位國中老師的追悼會上，我看到目前當紅的一位企業新貴也來了，心中不免有些感動，最近景氣不好，生意不好做，教過的學生還會抽空來送老師，做老師還是值得的。公祭完畢，我要離開時，他突然趨前跟我說：「老師，我送您回家，我有一些話想跟您說。」他見我有些猶疑，馬上說：「我家有訂國語日報，它跟國語日報有關。」國語日報是台灣少數我信得過的報紙，他這樣說，我便上了車。車子一啟動，他劈頭便說：「老師，您要寫文章告訴別的老師，對國中生不可用激將法。」

原來他幼時家境清寒，上不起英文補習班，國一開學時，班上很多同學已會英文字母了，老師便跳過不教，他去找老師理論，想不到反使他成為箭靶，上課時時把他叫起來問，不會便羞辱他。因為老師帶頭看不起他，班上同學便也看不起他，使他國中三年過的非常痛苦。這個老師當了主任後，曾透過別人來叫他捐款回饋母校，他把當年的羞辱講給這個朋友聽，想不到老師告訴他朋友，他用的是激將法，沒有當年的羞辱，哪有現在的他？他聽了很憤怒，跟我說，到現在，回憶起那三年的日子，還會覺得很痛苦。他今天不是來祭老師，而是來看自己能不能把這個恨放下。我聽了嚇一大跳，人都死了，恨還放不下，傷害到底有多深？

恨是最強的動機，它使你克服不可能克服的困難，迫使你前進，但是恨的代價也很大，因為心中有恨，人就不可能快樂。曾有人開玩笑說：「要朋友記得你，便是欠他債不還，要他不忘記你，便是使他恨你。」的確，恨的力量比愛大，它蠶食你的心，使你痛苦一生。激將法對某些大人可能有效，但對孩子絕對不合適，仇恨帶給孩子的痛苦不是以後成功就可彌補的，他的話使我不寒而慄。

最近騎自行車受傷上報的維珍企業（Virgin）總裁李察・布蘭遜（Richard Branson），在他小的時候，曾經偷過他父親的錢去買糖吃。因為沒有被發現，他就愈偷愈大膽。有一天，他父親帶他去街角的雜貨店買菸草，老闆一看到他們便說：「布蘭遜先生，你兒子是我最好的顧客，每天都來光顧敝店，我希望他沒有偷你的錢，因為他愈買愈大方。」他聽了嚇到呆掉，以為他父親一定會當眾羞辱他、打他。想不到他父親一把把老闆抓起來說：「你怎麼敢說我的孩子偷錢？」便拉著他離去。在路上，他心臟狂跳，不知該編怎樣的謊才能逃過此劫。走到家門口時，父親把他的手放開，對他說：「不要再做了。」他從此不再偷錢。他父親對他的愛使他永遠不再令父親失望。

要激勵一個孩子上進，要用愛而不是用恨，因為愛不會燒灼人心。只有愛，才能使一個孩子過了五十年，想起當年這件事，心裡還是暖和的。

我下車時，他誠摯的說：「老師，務必把我的故事寫出來，不要再使別的學生像我一樣，在恨裡過了十八年。」

好老師是一切教育的根本

如果打地基是蓋大樓最重要的一環，為什麼在教育上，要忽略學前教育呢？把一般孩子教好，社會才會穩定。

自從台灣連續發生高學歷的恐怖情人事件後，社會開始注意學生的EQ教育。最近西雅圖兒童醫院發表一篇早期介入（四歲）對執行功能（Executive Function，包括抑制控制、工作記憶和注意力調控）的長期追蹤研究，發現愈早介入對弱勢家庭的孩子幫助愈大，而在各種介入方式中，教師EQ的教育和閱讀的培訓效果最強，也就是說，老師是所有補救措施的靈魂。

這個研究定期訪視參加計畫的老師，教導老師正向經營教室的技能，並用繪

本閱讀、角色扮演、對話來教孩子EQ，讓孩子了解什麼是憤怒、什麼是悲傷……，當這種情緒出現時，應該怎麼去處理它。

在情緒教育中，執行功能中的抑制控制最重要，它的神經迴路需要在幼年生活中，逐漸被強化，所以《顏氏家訓》說「教婦初來，教兒嬰孩」，二千年諾貝爾經濟獎得主詹姆士・赫克曼（Heckman）也說自我控制是成功的三個條件之一（其餘二個是品德和毅力）。

至於閱讀，那是因為閱讀提供了各式各樣的腳本，讓孩子可以透過表演來達到感同身受的同理心目的。

好老師是弱勢孩子唯一出頭的機會，愈是偏鄉愈需要好老師，最近教育部在修改「偏遠地區學校教育發展條例」，採用強制性的綁約（六年）來填補偏鄉師資的不足。這方式有待商榷，因為教學的熱忱無法被強迫出來，只有給老師安定的生活、足夠的薪資，他們才可能有時間和精力去從事正規教學以外的EQ教育。要留住偏鄉的老師，至少要給他們可以住的宿舍（屋頂沒有漏水、牆壁沒有壁癌、窗簾沒生霉），先安居才能樂業，許多老師要下山是因宿舍不能住「人」。

大腦的研究顯現幼兒教育比大學教育重要，因為執行功能的所在地——前腦，在幼年期特別受到環境的影響，它跟後來的暴力和反社會行為有直接的關係。如果打地基是蓋大樓最重要的一環，那麼為什麼在教育上，我們要忽略學前教育呢？

精英是國家的競爭力，但把一般的孩子教好了，社會才會穩定。社會若不穩定，精英縱有十八般武藝也不能發揮力量，因為沒有人會來不穩定的社會（包括政治）投資，這反而造成人才出走，為別人作嫁，如我們現在所看到的現象。

自尊心是品德的基礎

事情做了就不要後悔，圓滿的完成它才是目標。人生不能盡如君意，只要眼睛往前看，就能找到屬於自己頭上的那片天。

有一天，我在某大學上EMBA的課時，講到羅馬帝國皇帝馬可．奧里略（M. Aurelius）說：「形塑我們的不是經驗，而是我們回應經驗的方式。」因為不同的行為會造成不同的大腦神經連接，形成不同的迴路，帶出不一樣的人生。

課後，有位經理前來跟我說，十七年前，他曾任國中導師，他的班級在秩序和整潔比賽中落後，週會時，校長把他叫上升旗台，頒給他一面像國旗那樣大的「黑旗」，叫他掛在教室門口，給過往的師生看，還叫樂隊奏樂。

他告訴校長：「不要用羞辱的方式來教育孩子，在愛中成長的人，懂得寬恕，在懲罰中成長的人，只會記仇。」校長反駁說「玉不琢不成器」。他在考績被打乙等後，憤而辭職轉去經商。最近公教人員年金出了問題，有人恭喜他當年逃得快，他內心卻很傷感，他說他其實是喜歡教書的，他一直懷疑當年的選擇是否正確。

我聽了很感慨，我們打罵孩子都是說「為你好」，但是不了解驚恐、懲罰和當眾羞辱所帶來的負面情緒對大腦改變的威力。四川汶川地震二十五天後，研究者把受災戶送到核磁共振中，去掃瞄他們的大腦，結果發現掌管情緒的迴路整個改變了。

自尊心是一個人品德的基礎，若失去了自尊心，品德就瓦解了。不是每個人都能像韓信，忍得了胯下之辱，尤其還不知道自己是誰的國中生。很多人變成醉漢、賭徒和盜賊都是由於失去了自尊心。那個校長不了解價值觀跟自我認同是一體兩面，價值觀引導我們選擇，選擇又決定我們是個什麼樣的人，人生是自己勾勒出來的畫稿，所以巴菲特（W. Buffett）才會說：「金錢來來去去，價值觀才是最可靠的貨幣，它讓我們購得自我尊重和心靈的平靜。」我們用羞辱方式去教育學生，難怪社會愈來愈暴力了。

我對這個經理說：「人生本來就是不停的在作選擇，齊克果說：『不做選擇本身就是一個選擇，不做決定本身就是一個決定。』」事情做了就不要後悔，因為選擇只是一個開始，圓滿的完成它才是目標。天下事最好「成事不說，遂事不諫，既往不咎」。

人生不能盡如君意，我以前也想念考古，但父親不准。只要眼睛往前看，每一行業都能找到自己頭上的那片天。

做任何事不只要盡責，更要當責

要出人頭地，不只是做一天的和尚撞一天的鐘，還要確定所撞的鐘有響，光是「盡責」不夠，還要「當責」。

最近碰到一些事，使我了解現在鬧的滿城風雨的最高學府校長、副校長論文造假、賣文掛名之事，是我們長久以來不論是非，只講人情的鄉愿態度造成的。

前幾天，我在誠品看到一本科普書，書腰上印著「某國立大學講座教授熱情推薦」，因為這位教授在學術界頗有名，常在報章雜誌上寫文章，所以我就買了這本書，想不到一讀之下，大失所望，不但倒裝句一堆，譯筆不流暢，不知所云，還有很多錯別字，我非常驚訝為什麼這位名教授會推薦這種品質的書。

不久，在一個基金會的董事會上碰到了這位教授，我忍不住趨前問他：「這本書好在哪裡？」他絕口否認曾經推薦。我上網找出那本書的封面給他看，他才說：「啊，原來是這本書。有啦，朋友來拜託，不好意思拒絕，就把名字借給他了。」我張口結舌，名譽是人的第二生命，可以出借嗎？太看輕自己了吧？對讀者因為你而去買這本書的事，怎麼交待呢？

出版社常會寄書稿來請名人推薦，希望藉由推薦者的名氣與讀者對這個人的信任來促銷書。一般作老師的（比如我）不但會看，還會用自己的專長來幫忙修正譯文不對的地方，畢竟譯者大多不是該領域的人，一字多義的時候很容易解釋錯，會誤導讀者。我們甚至會改錯別字，因為人常看不出自己的錯誤，老師做久的人，不改手會癢。但是我認為不看，就貿然推薦是不負責任的做法，對不起讀者對他的信任。

過不久，又在一本青少年讀物上看到某國小主任（她還特地加上「候用校長」）寫說：「我在百忙中答應寫這篇推薦文，本以為只需匆匆閱讀……。」我看了也很反感，如果沒有時間，就不要答應，既然答應了，就不可敷衍了事。想匆匆讀過就來推薦，也是不負責任的態度。

細想起來，如果從小學到大學校長、各領域教授都是這個態度，我們怎能期待他們會教出敬業、不苟且、不便宜行事的學生來呢？

科學就是求真，不真就不要做科學。很感嘆我們幾十年的教育連這個最基本的科學精神都沒有教給學生，難怪現在台灣的論文一投出去，別人未審就先懷疑數據、圖片的真實性，台灣在國際上撤回論文的比例僅次於大陸和印度。

在二十一世紀要出人頭地，不只是做一天的和尚撞一天的鐘而已，還要確定所撞的鐘有響，光是「盡責」（responsibility）已不夠了，我們還要「當責」（accountability）才行。

鄉愿是可怕的，它使學生失去了做人最可貴的那個「真」字。

培養閱讀習慣，才能懂得中文之美

課外讀物增加生活的機智和常識，看多了，國文程度自然會好。要提昇孩子的閱讀能力，唯一方式是多讀好書。

有位外籍客座教授請我替他孩子介紹專教外國人中文的家教老師。他說現在世界貿易的中心已經轉到亞洲來了，美國的投資大師羅傑斯（Jim Rogers）特地搬到新加坡去住，使他的小孩可以說流利的中文，所以他要他的孩子利用這次來台灣的機會把中文學好。

看到外國人如此熱衷學中文，可是我們自己的學生卻對國文不屑一顧，很是感慨，他們應該要感謝父母把他們生在台灣，不費吹灰之力就能說流利的中文，便利以後去世界做生意。不過做生意不能只會說，還得會讀，懂得用字，不然會鬧笑話。最近有家長發現，今年的基本學力測驗題目很長，國文程度若不好，連數學也遭殃，因為看不懂題目就不會做。

語文程度的提昇無法立竿見影，它需要時間去內化，幸好方法簡單，只有一個，就是多讀好書。

中國人喜歡吃補，但是心若不喜歡，身體就不會吸收，學習也是一樣。馬友友的母親說她從來不曾因為馬友友大提琴拉得不好而打他，因為打了他，他就對大提琴恐懼。恐懼，他就不會主動去摸它，不去練習，怎麼可能成為大提琴家呢？所以要提昇孩子的語文能力要從不必考試、沒有壓力的課外讀物著手，如《七俠五義》、《包公傳》等，它裡面有很多的成語和當時的社會情況，在閱讀時，也會不知不覺地學到很多做人的道理。

我會對語文感興趣是小學四年級時，在父親的書櫥底下找到一本《七俠五義》，當時雖然認字不多，但因看過〈狸貓換太子〉的京戲，對故事熟悉，閱讀就容易上手。加上以前的章回小說都有文人作對子比賽的情節，例如「八目加賀，賀花賀月賀嫦娥，八目尚賞，賞風賞月賞秋香」，以及「十口心思，思國思家思社稷，寸身言謝，謝天謝地謝君王」，這種把字拆開做對子的例子很能引起我的興趣。那時我外公還在世，他是前清的進士，他教我字的來源，比如說「稻」的甲骨文是一隻手下面一個杵臼，表示這個「禾」是需要舂過才能吃的；又教我文字視覺化，「北斗七星，水底連天十四點，南樓孤雁，月中帶影一雙飛」，簡單幾個字就把一幅美麗的圖畫展現出來了，使我覺得做個中國人很幸運，因為沒有任何一個國家的文字像中文一樣，這麼有意思，而且一旦了解它的來源就不會忘記它怎麼寫了。

中國的文人也是天下最含蓄、最會猜謎的人，紀曉嵐知道乾隆皇帝要查鹽帳，想偷偷跟他的親家通風報信，便在信封中裝了一把鹽、一把茶葉，派人快馬加鞭送過去，對方一看，原來皇帝要「茶」鹽了，立刻把虧空補上。像這種巧思是沒有讀過書的人想都想不到的。這種書增加了我們生活的機智和常識，它有趣，不像課本呆板，又不要考試，自然一有空，就會把它拿起來看，看多了，國文程度自然就好了。所以要提昇孩子的閱讀能力，唯一方式就是多讀好書，水到渠自然成。

教育不應該比較孩子的優劣，必須將心比心

老師不要拿孩子來相比，同卵雙胞胎都會有很大的差異，來自不同父母、不同家庭的學生差異自然更大。

親師的溝通很重要，但中間的分寸不容易拿捏得恰恰好。有家長來信問：「什麼時候打電話給老師，不會被稱為『恐龍家長』？」正好這幾天報上有個媽媽說，她在開學第一天就打電話給老師了，她問：「我是恐龍家長嗎？」

她說她的孩子非常期待上學，開學第一天，一早就穿好衣服，雀躍的等待出門。但是放學去接時，卻是滿臉的沮喪，問他為什麼，他講不出來，只問：「我是不是全班最壞的孩子？」然後說明天不想去上學了。

為了怕孩子因不知自己為何被罵，第二天又做出同樣的事，也怕孩子因此而討厭上學，這個媽媽就鼓起勇氣打電話給老師，但是打完後，非常恐懼被貼上「恐龍媽媽」的標籤，使孩子受歧視。所以問，她是否應該打這個電話？

她可以打，因為老師也需要改進說話的方式。孩子不乖，老師可以說：「你不可以一直說話，吵到別人聽課。」老師要把孩子不乖的事實說出，使他下次改過。但不要用比較的方式說：「你是全班最壞的孩子。」比較對孩子是個傷害。我們大人常忘記被別人比下去時的羞愧。

我有二隻貓，個性不同。有一天，大貓又把貓食打翻了一地，我就說：「大貓不乖，你看小貓都沒有這樣。」兒子在旁看到了，馬上說：「媽不能這樣罵大貓，不要比，大貓是大貓，小貓是小貓，小貓也有做大貓沒做的壞事的時候。」我很慚愧，我忘記了不要比。

相比是人的天性，因為人對喜怒哀樂沒有絕對的標準，是比較而得來的。紀曉嵐在《閱微草堂筆記》中說：「人生苦樂皆無盡境，人心憂喜亦無定程，曾經極樂之境，稍有不適，則覺苦，曾經極苦之境，稍得寬，則覺樂矣。」

二〇〇二年諾貝爾經濟獎得主康納曼（Daniel Kahneman）也在《快思慢想》中舉了很多實驗例子說明人對世上所有東西的感覺都不是絕對值，而是相對值，而且在評比時，會受到標的物的影響。

有一個實驗甚至顯示同一個家庭長大的同卵雙胞胎，在做同一件事時，大腦活化的地方不一樣。他們因為後天的經驗不同，而經驗促使神經連接，所以大腦活化的地方不同，做出來的行為就不同了。所以人是不可以比的。

我們在師資培訓時，一再講這個實驗，提醒老師不要拿孩子來相比，如果同卵雙胞胎都會有這麼大的差異，來自不同父母、不同家庭的學生差異自然更大。

至於男生說不出老師罵什麼也是有大腦上的關係。男生掌管語言的大腦區塊比女生小，成熟也晚；加上男生連接兩個腦半球的胼胝體比女生薄。同樣四歲，女生可以告訴母親，老師怎麼罵她、同學怎麼嘲笑她，娓娓道來，有表情有手勢；男生就不行，就會像這個小男孩，保留沮喪感，卻說不出為什麼。**對語言能力尚未發展成熟的孩子，要有耐心慢慢問出為什麼心情不好，並教他如何排解。**

老師和家長都是為了孩子好，將心比心，坦誠布公，標籤自然消失。

教育的目的不在製造天才，而在培養全人

教育的目的不在製造天才，而在培養五育都健全的孩子。
父母的責任是保護孩子，絕不可為了虛榮斷送孩子一生。

我們只有一個腦，也只有一個胃，但是它們兩者之間的關係並不是互斥的，而是相輔相成的。多年前，研究者就發現胃腸是第二個腦（The 2nd Brain）。大腦和五臟六腑之間靠著迷走神經（Vagus Nerve）和血液中的荷爾蒙在聯繫，關係之密切可以說是牽一髮而動全身。有一種對我們非常重要的神經傳導物質叫血清胺或血清素（Serotonin）關係著我們的睡眠、情緒、記憶、動機，就是百分之九十分泌在小腸，百分之十在大腦。抗憂鬱症的藥，百憂解（Prozac）就是阻擋大腦

中血清胺的回收，當它多時，人的情緒會好。胃腸是非常重要的器官，所以才稱為第二個腦。

飯後雖然會有比較多的血液流到腸胃中去幫助消化，吃太飽也的確會使人昏昏欲睡，但是絕對沒有「吃飯時，大腦就缺血缺氧」這回事，這太不可思議了。人體的血液是一直不停在流動的，需要的地方多一些，不需要的地方少一些，它不停在調整需求。

孩子不管吃得多飽都不會影響大腦的發育，因為大腦的需求有優先權，當身體的氧和養分不足時，大腦會先關掉各器官，把資源送到大腦，因為大腦死，人就死了，演化絕不會讓孩子因吃太飽而讓大腦缺氧、細胞死亡。

同時，消化是身體補充大腦資源的方式，它不可能跟大腦生存下去的宗旨背道而馳。人類絕對不會因把精力用在消化而影響大腦的發育，反而**營養不足時，會嚴重影響大腦發育，因為控制情緒和理智的前腦是出生後才快速發展，它需要營養才會發育得好**。研究發現營養不良會造成反社會行為和暴力犯罪。

吃多並不會影響大腦發育，只會使身體肥胖而已，吃多也不會患上腸胃疾病，是吃的方式不對，如吃得太快、狼吞虎嚥，或吃得太辣、太鹹，過度刺激胃壁和腸黏膜才會造成腸胃疾病。

國內所流行的「卡爾．威特的教育」這本書在學術界是站不住腳的，因為在十八世紀初期，人們對人體醫學還沒有什麼概念，本書作者是位牧師，他很多的說法是想當然爾的推論。事實上，這本書一出來就被激烈的批評，所以不久就沒有人看了。

作者用最嚴厲的方式去教育自己的兒子，希望他成為天才。這種為了自己的面子，不顧孩子身心正常的發展，強迫他成為天才，是完全不符合大腦發展的教育理念，加上沒有實驗證據，所以很快就被人唾棄，沒有再談論它了。

在當時，的確有很多人迷信天才，曾用各種方式希望造就出金氏紀錄的神童，結果這些努力都失敗了。例如一九二〇年代，史丹佛大學心理系的系主任路易斯．特曼（Lewis Terman）就曾試過一個天才計畫，他篩選了IQ在一四〇以上的兒童，把他們集中到史丹佛大學來，給予最好的環境來教育他們，希望在控制了基因和環境這兩個影響IQ的因素後，能製造一批天才出來。

這批孩子被稱作Termites，在當時非常有名。這個研究過了五十年，最後的報告出來了，這二百多個兒童中，沒有任何一個人拿到諾貝爾獎。但的確有不少人成為工程師、律師和會計師。不過也有一個智商一九〇的女童，在特曼的盡力栽培下，十六歲哈佛畢業，最後卻潦倒而死，一生無任何成就。

另一個例子是發生在九十年代加州的聖荷西。這個孩子也是金氏紀錄的保持者，十一歲加州大學數學系畢業。但是他後來重新從初中一年級讀起，因為他沒有朋友，不會人際關係，人生變得很痛苦。他的童年完全花在做數學上。他接受記者訪問的唯一條件是要記者把他的故事原原本本的寫出來，他不要任何一個孩子再步他的後塵，被迫失去珍貴的童年，造成一生的遺憾。

中國人對天才的渴望已經走火入魔了，為了製造天才，各種稀奇古怪的說法都出來了。其實，在大腦中，任何一個行為只要做了一萬小時，這個人就是該個領域的專家。因為做這個行為的神經迴路會變得很大條，臨界點很低，眼睛閉著，這個行為也會出現。

教育的目的不在製造天才而在培養全人，一個德智體群美都健全的孩子，父母的責任是保護孩子，讓他平安快樂的長大，絕不可為了虛榮斷送孩子的一生。

發呆的大腦促使孩子出現創造力

有人說：「休息是為了走更遠的路。」大腦說：「發呆是使人類有更好的明天，因為它促使創造力出現。」

朋友邀我去偏鄉一所廢棄的小學，看看能不能找到更好的用途。我們去時，看到教室的水泥牆很高，只有上面一小排氣窗，不但阻擋了光線進來，也阻擋了窗外的青山綠水，使教室陰暗像監牢。正在奇怪為什麼當年會這樣蓋時，一位資深的校長說：「不這樣，學生的眼睛怎麼會在黑板上呢？」我聽了很吃驚，**如果要靠高牆來使學生不去看外面，那麼這個學校的教育是失敗的，**因為眼睛不能看窗外，也不見得要在黑板上，學生可以發呆啊！

其實，腦袋放空、發呆，什麼都不想時很舒服。但是大部分的老師和家長都不喜歡孩子發呆，只有芬蘭人例外。最近有一本美國人沃克老師寫的《像芬蘭這樣教》說：「芬蘭人認為孩子不是每一分鐘都需要專注在課本上，而且人在發呆時，大腦也是在工作，它在替創意鋪路。」

這個發現很偶然，神經科學家想知道閱讀時的大腦情形，所以需要知道大腦在沒有閱讀時的情形，才好相比。結果發現大腦在沒有工作時，各個區塊也在活化，只是活化的地方跟工作時不同。這個休息狀態的活化被稱為「預設模式網路」（DMN, default mode network），大腦一旦不需專注時，便會轉到DMN，好像電腦螢幕在不用時會休眠，來省電一樣。但是大腦不是在休息，它是從外在的注意轉到內在的認知，DMN活化的程度愈高的人，創造力測驗的分數愈高。

研究發現DMN連結的愈密，語言能力、流體智商（fluid intelligence）、自我覺識、記憶、同理心、道德判斷和想像未來的能力愈強。神經發展學家更發現兒童DMN連接愈強，閱讀技巧和記憶力愈好，同理心和從別人觀點看事情的能力愈強，智力測驗的分數也愈高。

但是大腦有病變的人，如憂鬱症、創傷後壓力症候群和強迫症的人，他們DMN結構就不同，活化程度比正常人低，不過思覺失調症（即精神分裂症）、自閉症者的DMN則是太過活化。這可能是大腦在受損後，為了彌補它所失去的功能，而發展出來的策略。

這些實驗改變了我們對發呆的看法。其實孩子偶爾發個呆，不須用粉筆頭去丟他（那是很痛的）。有人說：「休息是為了走更遠的路。」大腦說：「發呆是使人類有更好的明天，因為它促使創造力出現。」

團體生活成就不同個性與共同目標

校園生活使不同背景的人，因追求共同目標而聚在一起，互相影響，奠定人格，而團體生活是教育不可缺的力量。

我去上海同濟大學演講時，看到好幾位中正大學第一屆的學生在這裡修EMBA的課。下課後和他們談起當年學校草創時，民雄全是甘蔗田，入夜漆黑，連路燈都沒有，晚上去嘉義當完家教的學生得用手電筒走田埂回宿舍的情形。他們說，就是因為那時環境很差，連吃宵夜的地方都沒有，才培養出深厚的革命感情，畢業後相約一起創業。

難怪今年哈佛大學的校長在開學時，會問新生：「在網路這麼發達的現代，你們大可以在家中舒服地上網選課，累積足夠的學分來得到學位，為何還要離鄉背井，千里迢迢地來到人生地不熟的哈佛念書呢？」

這答案是「因為團體生活是教育不可缺的力量」。

的確，《禮記》：「獨學而無友，則孤陋而寡聞。」學問要切磋才會進步。人的社會化是和同儕完成的，年輕人尤其容易受到朋友的影響，研究發現現在的你和五年後的你，差別就在你所讀的書和所交的朋友。

人的大腦中有專司模仿的鏡像神經元，我們會在不知不覺中，模仿我們身邊人的一舉一動。「相觀而善之謂摩」，擇人之長、避人之短就是觀摩，相互觀摩才能「出類拔萃」——出於其類，拔乎其萃。**校園生活使不同背景的人，因追求共同目標而聚在一起，互相影響，奠定人格**。也就是說，大學教育在求知求真、明辨是非之外，團體生活和團隊精神是另一個目標。

我記得當時中正大學的林清江校長堅持同寢室的室友要分屬不同學院，以增廣見聞。當吃喝拉撒睡都在一起時，人的個性和長短處都一覽無遺。他們幾個人連呼，就是這樣，經過四年的磨合，他們決定以後一起創業，那種兄弟感情是金錢買不到的，也是他們現在回想起來，最甜蜜的部分。

所以很多國外的大學都要求大一新生一定要住校，要他們浸潤在校園的傳統中，使他們一走出去，別人一眼就知道他們是劍橋人、牛津人。

台灣的大學在校風上沒有什麼特色，或許是因為校長不停更換的緣故，百年樹人的學養風氣，無法在最長八年、二任校長的任期內形成，學生走出去，也就不像以前看得出是北大人、清華人了。現在少子化逼迫學校為生存找特色，或許這是一個轉機。

與其死背書，不如培養孩子的創造力

創造力就是超強的聯想力，看到任何與這個字形音義有關的東西都會被激發，聯想力愈強的人，創造力愈好。

在六十年代，心理學有個很有名的實驗，給學生看一些快速呈現的英文字母，如「HQCNWYPJK」，然後請他們默寫下來。大部分的學生寫到四個左右就寫不出來了。但是把同樣長度的字母改換成「FBICIAIBM」，他們就能全部寫出來，因為IBM是當時最大的電腦公司、FBI是美國聯邦調查局。所以訊息的意義度愈高，記憶愈好。

大腦中有許多不同的知識架構，叫做鷹架（schema），它幫助我們的學習，好像蓋大樓必須先搭鷹架，鷹架愈高，大樓蓋得愈高，而鷹架的根基就是「意義度」。當我們了解事情的來龍去脈後，這個知識就是我們的。但是不了解時，就只能死背，許多孩子恐懼數學就是因為沒有弄懂，硬是把它背下來，但是老師一改變題目，他就不會了，使他以為數學很難。

中國過去的私塾是讓孩子死背，靠一直不停地覆誦來建構鷹架，但是這種學習是辛苦的。現在二十一世紀資訊爆炸，新的訊息不停地冒出，死背已無法應付。因此現在的教學是以「了解」為主，有人說幼兒園的孩子又還沒有上學，「陰天打孩子，閒著也是閒著」，背點詩詞有什麼關係？這個關係在二十一世紀要的是創造力、靈活應用知識的能力。天天背，會把腦筋背死，同時，背書就剝奪了很多孩子可以去遊戲的時間。最近研究發現，遊戲時，孩子的大腦整個活化起來，各個區塊的神經元大量的連接，形成綿密的網。

為什麼要在乎神經有沒有連接呢？因為孩子的大腦在出生後就一直不停地在做修剪，而大腦修剪的原則是有被連接的神經元會被保留下，沒有跟別人連過的神經元會修剪掉，目前已看到神經元連接的密度跟他的IQ和創造力都有正相關。

孩子的IQ決定於先天（神經連接的方式）和後天（神經連接的密度），創造力在神經學上的定義是兩個不相干的迴路碰在一起，活化第三條迴路，即中國人說的「觸類旁通、舉一反三」，兩個不相干的迴路怎樣能碰在一起呢？這跟神經連接得很密有關係，當電流（眼睛看到是光波，耳朵聽到是聲波，但是進入大腦後，全部變成電波，大腦是靠電流在溝通）通過某條神經迴路時，因為它是個骨牌反應（domino effect），它會使與它有連接的迴路都活化起來，好像第一張骨牌倒下後，它會使所有跟它緊靠的骨牌逐一倒下一樣，如看到「光」這個字，它會馬上激發「光明、光亮、光棍……」，但是「光棍」不是光的棍子，就像「風流」不是風在流，所以當「光明」繼續在活化跟它有關的字時，「光棍」也馬上激發「結婚、媒婆、丈母娘……」，跟「光」原本意義毫無關係的字出來了，這就是神經學上的觸類旁通，也就是創造力的神經機制了。

創造力其實就是一個超強的聯想力，我們在實驗上看到任何跟這個字形音義有關的東西都會被激發起來，因此聯想力愈強的人，他的創造力愈好。而前面說過**神經連接的愈密的人，他們觸類旁通的機會愈大、聯想力愈強**，因此孩子的遊戲時間很重要，不應該被剝奪去背對他還沒有意義的東西。

閱讀具有法律常識的書籍，有助於增加學生的法學知識

我們國中生的法律常識太少了，常因此而受騙上當。老師可以在公民課的時候，跟學生討論道德犯規的議題。

最近有個原住民的國中中輟生因為相信「白浪」（歹人，台語「壞人」的發音）告訴他「你是原住民，又未成年，犯罪不罰」去做了車手，結果被抓。我聽了扼腕嘆息，我們國中生的法律常識太少了，常因此而受騙上當。

其實何止國中生，就是一般大人的法律常識也不夠。要補充這方面的知識最有效的方式是閱讀偵探小說，透過故事情節把一些枯燥的法條變成保護自己的法律常識，例如最近出版的《西奧律師事務所》系列的第六集《老師犯規了》會使

人聯想到最近吵翻天的台大校長和高雄醫學大學副校長論文造假及販賣論文的事件，老師可以在公民課的時候，跟學生討論道德犯規的議題。

這系列的作者是很有名的約翰．葛里遜（John Grisham），他是真正畢業於密西西比大學法學院且有律師資格的作家，所以他的法律知識很紮實。我會看他的小說是他在一九九一年出版了《黑色豪門企業》（*The Firm*），揭發了一些我們在學校裡教書的人一輩子不會想到的祕聞，因為寫的很好，我就開始追蹤他的書。他被稱作美國暢銷書的天王是有道理的，他的小說還未寫完，好萊塢就買版權來拍成電影，所以他肯為青少年讀者寫法律小說是非常值得慶幸的事。

在這集《老師犯規了》中，西奧（書中主人翁的名字，Theodore的簡稱是Theo）是個十三歲的孩子，父母都是律師。美國政府要求升高中之前要考學力測驗，成績在前百分之十五的學生進資優班，後百分之十五的進資源班，中間的進普通班。雖然很多老師不贊同這種分法，但政府控制著教育經費，為了錢只好俯首聽命。

因為這個測驗，老師只好放下正常的教學，為考試而教；學生也只好為考試而學（這情景我們台灣是否非常熟悉？）。其中一個孩子父親失業酗酒家暴，因此他的考試成績不好（老師如果發現學生功課一落千丈，先不要罵他，先看是不是家裡出了問題，如父母吵架要離婚、失業破產有人來討債）。書中也揭露警察雖然把施暴者抓走了，但是第二天他就會被放出來，放出來後，他自然會去找報警的人報復。真正解決問題的方法是強制戒酒、戒毒和戒賭，因為這些都會影響大腦的結構，使這個人不能控制他的行為。

政府用經費來獎懲學校，逼迫老師集體作弊，塗改學生的考卷，免得學校經費被刪。這是制度殺人。沒有人願意被分到後段班，有些孩子不是資質不好，是後天環境不允許。就像前面的那個孩子，因家庭變故，他考不好，進了放牛班，他一生可能就毀掉了。這本書在討論這個問題時，令人不斷地想到台灣有多少可造就的人才，被這種教育制度斷送了一生。

馬上要放寒假了，同學可去看這本書，其實國高中生應可以看原文本，因為文字不深。大家可以藉閱讀英文小說來增加自己詞彙和閱讀能力。希望大人小孩（尤其教育政策制定者）看完後能好好反思我們教改的方向和前途。

學生應首重品德，而非功課

很多人不了解品德的重要性，其實新知容易教，品德壞了很難改。一旦形成壞習慣後，它是想都不想就會出現的。

我在布拉格開會時，有記者打電話來問我對建中學生冒名頂替接受訪問之事的看法。因為人在外，對情況不了解，不可以隨便置評，就婉拒了。回來後，我上網去查，原來是建國中學有九個人申請上了台大醫學系，記者來採訪時，周同學在教官陪同下，假冒趙同學的名字去受訪。因為記者與教官都不認得趙同學，周同學以為混得過，但是「若要人不知，除非己莫為」，結果曝光了。學校說將由學生道歉了事。

我的第一個反應是：為什麼現在的學生對開玩笑分寸的拿捏這麼離譜？名字是人的identity（身分），古人說「行不更名，坐不改姓」，怎可隨便冒用？我們小時候，父母會告誡，要愛惜你的名字。人不尊重自己的名字就是不在乎自己的人格和名譽，人一旦不尊重自己，其餘都免談了。

第二是台灣的教育怎麼了？從新竹光復中學模仿納粹的遊行，到高雄中學學生競選時發布納粹宣言，到師大附中拔斷司令台麥克風電線，到台大碩士生虐殺貓、博士生擋救護車、比中指，「雄友之夜」甚至模仿日本A片虐待情節，這些名校學生匪夷所思的行為只讓我們看到一件事：一旦教育偏離了正軌，後面就一敗塗地了。

現在教育只求功課好，不管品性怎麼樣的捨本逐末方式，社會是要負責任的（不然記者為何只採訪醫學系的同學，不採訪沒上榜的學生）。在台灣，功課好似乎變成了護身符，陽明大學曾有學生用報紙包鐵棍去打人，因為他是醫學系學生，後來就不了了之；也有二個學生共騎一輛摩托車，因為天雨路滑出了事，結果警察讓書包上印「建國中學」的學生走，只留下書包印「泰北中學」的學生盤問；甚至在家庭中，都有功課好的孩子不必分攤家事的例子。因為整個社會追求智育，棄德育而不屑，我們才會發生台大醫學院這麼高智育的機構論文作假的事件。

很多人不了解品德的重要性，其實新知容易教，品德壞了很難改。人類的行為百分之六十是習慣化的行為。一旦形成壞習慣後，它是想都不想就會出現的。我們常在公共場所看到西裝畢挺的紳士當眾剔牙或摳鼻，因為那些壞習慣已經變成無意識的行為了，一不小心就出現。

《顏氏家訓》說：「教婦初來，教兒嬰孩。」品德是潛移默化的歷程，它是個內隱的學習，直接儲存在神經連接的突觸上，即便將來得了失憶症或失智症，童年習得的壞習慣都仍然存在。所以是非倫理等中國傳統的價值觀一定要從小教，父母一定要了解「有德有才是上品，有德無才是次品，無德有才是毒品，無德無才是廢品」，毒品的可怕性大家都知道，若是廢品，何必浪費糧食去養他？文人無品會遺害萬年，所有的漢奸都是有知識的人，所謂「仗義多是屠狗輩，負心最是讀書人」。

在「真善美」中，「真」最重要，是其他二者的基石。科學尤其講求真，不真，何必做科學？台灣現在的情況很令人著急的，此事是冰山一角，社會再不改變對智育的崇拜，以後真的沒有撐國家的棟梁了。

第三單元

教養是父母的課題，也是孩子成長的依據

男孩女孩的腦迴路雖不同，適才發展最重要；
我們別急著將孩子跟人比較，要知道大雞也會慢啼。
主動思考的閱讀與知識能改變孩子；
當孩子心態正確，再讓他們學習獨立。

主動思考的閱讀與知識能改變孩子

讀書是在心，不是在家具。閱讀增進知識、改變氣質，它是質的變化，不是量。而透過主動思考而得來的知識會跟隨孩子一輩子。

有一位媽媽拿了一本譯自日本的教養書來問我，書中說的「如果想讓孩子喜歡閱讀，請為了孩子準備專用書架」是真的嗎？她說她家狹小，沒有空間為孩子準備專用的書架，現在她的孩子不愛閱讀，她問是不是她沒有替孩子準備好閱讀的環境，讓他輸在起跑點上了？她有很深的罪惡感，問我該怎麼辦。

我看了書中所寫的後，覺得匪夷所思。書架跟閱讀有什麼關係？一個不愛閱讀的孩子，即使父母花大價錢買了桃花心木、黃梨木、黑檀木的書架，他還是不會去閱讀。相反地，王冕沒有任何書架，騎在牛背上也可閱讀，歐陽修小時候家貧，連紙筆都買不起，他母親用荻在沙上教他認字，一樣做到唐宋八大家。對於這種鼓吹書房一定要什麼設備，孩子才能念書的書真的很令人不齒，更不能相信的是有些父母竟然就照單全收了，還真的產生了罪惡感，真是不可思議。他們的基本常識到哪裡去了呢？

好奇心是所有動物都有的，一旦啟動了孩子的好奇心，他會廢寢忘食的去追尋答案，擋也擋不住。就像在〈潘朵拉的盒子〉（*Pandora's box*）這個故事中，雖然一再被告誡不可偷看，潘朵拉還是忍不住偷打開了一下，闖了大禍。研究發現透過主動學習所得來的知識，記憶比較長久，效果比較好。

俗語說：「有心栽花花不開，無心插柳柳成蔭。」在追尋探索的過程中，常常有意外的發現，很多的創意就是這樣出來的。「觸類旁通」是神經迴路的本質，我們的神經迴路像條灌溉的溝渠，一旦水閘門打開，水開始流動後，它就一路往下流，只要跟它有連接的水道，水都會流進去，直到最後水不夠了，自己停住為止。

讀書是在心，不是在家具。我們小時候，不要說書架，連書桌都沒有，很多同學是趴在地上寫作業的，現在他們也做到了中央研究院的院士。

這位日本作者又說，有書架就可以把孩子看過的書展示出來，誇獎孩子說：「你已經看了這麼多書了，真了不起。」其實真正了不起的不是看了多少書，而是看懂了什麼書。閱讀增進知識、改變氣質，它是質的變化，不是量。這種把孩子看過的書展示出來給客人看，是父母的虛榮心，非常不可取。

閱讀不該量化，請不要再用「小博士」這種看了多少本書的方式來獎勵孩子。其實，**真正可以鼓勵孩子閱讀的方式是請他把一本書讀完後，把故事的結尾改掉，另外創造一個他理想中的新結局出來**。當他要這樣做時，他必須了解故事內容，掌握書中人物的特質，再運用他對日常生活的知識和想像力，重新去編造。這種透過主動思考而得來的知識會跟隨孩子一輩子，而且自己創造出來的故事令孩子有成就感，他會覺得很驕傲，竟是個小作家了。在這種情況下，閱讀不再是苦差事，它是想像力的發揮，想像力是創造力的根本，我們就一石二鳥，達到有效閱讀與推動創造力的雙重目的了。

打罵教育問題多，更會引起孩子的負面情緒

希望孩子是不想讓爸媽傷心而不做壞事，而不是怕被打而不敢做。兩者雖然表面一樣，但內在的親子感情不同。

杜威說：「用昨天的方法，教今天的兒童，會剝奪他明天的機會。」時代不一樣了，父母的教養方式也要隨之不同。

現代人孩子生的少，個個都是寶，父母對孩子在學校中的生活比以前關心很多。開學後，學校所辦的親師座談會，家長的出席率比以前多二倍，而且父親也一起來聆聽校長的辦學理念。這是一個好現象，所以很多學校會趁這個機會舉辦演講，給家長一些新的教養觀念。

在幾次的親職教育場次中，我發現最需要教育的其實是父母。例如有一位媽媽說，自從她打了一歲二個月大的兒子後，現在晚上孩子不要她抱，看到她就哭，問怎麼辦？我很驚訝，一歲二個月，連話都還不會講，有必要打嗎？

研究發現三歲以前，每個月被打過一次的孩子，五歲時，打人的機率比沒有被打過的高二倍。而且這個時期的學習機制是模仿，曾經有個幼稚園的孩子喜歡摔東西，老師屢勸不聽。問起來，原來她媽媽一生氣就摔東西，孩子耳濡目染，就有樣學樣跟著摔了。

父母打孩子，他很自然的就會去打同學，同學就不喜歡跟他玩，他被排斥，就討厭上學。如果幼稚園就不喜歡上學，以後漫長的求學路該怎麼辦？

有家長問：「如果不能打，孩子不聽話時，怎麼辦呢？」諾貝爾文學獎得主史丹貝克（J. Steinbeck）說：「孩子最大的恐懼是沒有人愛，被拒絕是他們最害怕的地獄。」只要不理他，他馬上就範，因為在大自然中，沒有母親保護的動物活不了，未成年的郊狼（coyote）若是失去了母親，死亡率比有媽媽保護的高了百分之四十四，所以孩子最害怕父母不要他。

有一個實驗是把出生才四天的嬰兒，趁他熟睡時，放入核磁共振中掃瞄他的大腦（因為掃瞄時不能動，因此必須等孩子熟睡才能做），同時在他耳朵旁邊放他父母吵架的錄音帶。出生才四天還聽不懂父母講的話，但是他可以從語氣的急促、聲調的高亢知道不是好事，他大腦的負面情緒中心便活化起來了。所以父母盡量不要在孩子面前吵架，他會恐懼。

我舉了這麼多證據，想不到這位媽媽聽完了的第一句話是：「老師，那幾歲可以開始打？」令我啼笑皆非。

這真是中國人根深蒂固的舊觀念，認為孩子不打不成才，其實打的後遺症很多，除了前面說的模仿，第二個是情緒上的不良後果。孩子小，話還講不清楚，無法為自己辯白，被冤枉而平白挨打時，他會很生氣，若常被打，壓抑久了，青春期時爆發出來，就是我們所謂的叛逆，這時父母的頭痛才真正開始。我們看到孩子做錯事，你罰他，他可以接受，但二歲半被冤枉就會哭很久。宇宙間最大的負能量就是冤氣，父母、老師處理孩子之間糾紛時，不可不慎。

孩子犯錯沒有關係，只要不犯第二次錯就好，「人非聖賢，孰能無過？知過能改，善莫大焉」。愛因斯坦說：「一個沒有犯過錯的孩子不會去試新的東西（Anyone who has never made a mistake, has never tried anything new）。」多做多錯的恐懼會阻礙孩子的創造力。

第三個後遺症是對大腦的傷害，最近「刺胳針」（Lancet），這個在國際很有地位的英國科學期刊有一份報導：童年時被忽略或不合理的對待（包括肉體和情緒），長大後挫折忍受度低，躁鬱症比一般人嚴重，自殺傾向比一般人高二倍。因為童年是大腦發育最重要的時候，害怕挨打或受責罰的恐懼會改變神經的連接和解讀情緒的速度。實驗發現受虐兒對負面情緒的敏感度比一般兒童高，戰或逃的反應比一般人快二十毫秒。最近的研究更發現即使是短期（只有三天）的壓力也會使老鼠管記憶的海馬迴萎縮。

所以盡量不要打孩子，打，百害而無一利。坊間有專家說：「孩子要打，而且要狠狠地打，痛了以後才不敢。」我很反對。我們希望孩子是不想讓爸媽傷心而不做壞事，而不是怕被打而不敢做。兩者雖然表面一樣，但內在的親子感情是不一樣，前者父母老了會照顧，後者就是我們在報上看到遺棄父母的新聞。

合乎大腦科學的教養方式——教養，你可以做的更好

如果希望孩子是個快樂、對生活滿意的人，要培養他的自制力、好奇心、自動追求新知的能力、接受挫折的忍耐力。

每個父母都希望他的孩子成材，就算不能光耀門庭，也至少是國家的棟梁，但是時代不同了，過去那種「棒下出孝子」的打罵方式過時了，現代的腦造影技術讓我們看到虎媽狼爸的教養方式會在孩子大腦中留下不可磨滅的傷痕，影響他後半段的人生。在科學的時代，科學的方法是先訂目標，再依目標擬出方案，所以我們要問父母希望把孩子教養成什麼樣的人？

研究發現絕大部分的父母是希望孩子有個快樂有意義的人生。如何達到這個目標？二〇〇〇年諾貝爾經濟獎得主詹姆士．赫克曼（James Heckman）在一九七〇年時做了一個大型的研究，他長期追蹤該年出生的一萬七千名嬰兒到二〇〇八年，看看他們三十八歲的時候，是什麼因素決定他們的快樂和生活滿意度。

結果發現並不是我們以為的智商和在校成績，而是自我控制能力（self-control）、品德，尤其是誠信（integrity）和毅力（perseverance）。研究者問：「什麼因素可預測一個十一歲的孩子到三十二歲時的財務問題？」答案是：「自制和自律力。」

這個研究的結果非常清楚地指出孩子要從小管教，因為沒有外在控制，不會產生內在控制。我們一開始是透過被別人管理才學會管理自己，管教孩子不會傷害他的創造力，反而會幫助他成功，因為一個成功的人不是最聰明的人，而是最有毅力的人。紀律是個習慣，必須從小養成。

大教育家福祿貝爾（Froebel）說：「教育無它，愛與榜樣而已。」科學家在大腦中發現了鏡像神經元這個最原始的學習機制——模仿，所以父母的以身作則很重要，孩子是看著大人的背影長大的，家庭是最早的學習場所，父母是最初的老師，品格教育父母是責無旁貸。

現代的父母還必須要教孩子分辨快樂（happiness）和快感（pleasure），前者是有意義的滿足，是能力發揮的自我充實，後者是感官，口腹之欲的滿足，因為它沒有精神上的意義做後盾，它會因時間而遞減滿足感，最後變成強迫性行為，身不由主，如電玩的上癮。要避免快感的誘惑，孩子必須對他的人生有更大的理想和抱負，而這個來自深沉的閱讀。所以父母要從小培養孩子閱讀的習慣，並且要挑好書給他讀。

閱讀是人類跟動物最大的差別，閱讀使我們不必重蹈前人的覆轍，可以站得更高、看得更遠，因為我們有文字的傳承，閱讀的能力，是唯一可以享受祖先智慧的動物。新加坡前總理李光耀說：「在二十一世紀，一個人必須要有快速吸取訊息的能力和正確表達自己意思的能力，才能在國際上競爭。」所以除了養成孩子閱讀的習慣，父母還得訓練他的表達能力。因此，每晚不但講故事給孩子聽，也要孩子講故事給你聽。

大腦中的神經迴路是愈用愈靈光的，當孩子說故事成習慣後，他的言語表達自然有條理，前後有連貫，因為說故事訓練的正是大腦的組織能力和前後呼應的能力。

這一代的年輕人出社會後所要用到的知識還沒有發明出來，因此，父母不必很在乎在校成績。分數和名次離開學校後就失去它的魅力。誠如赫克曼所說，如果我們希望孩子最後是個快樂、對生活滿意的人，我們要培養他的是他的自制力，對新奇事物的好奇心，自動去追求新知的能力以及接受挫折的忍耐力，目標正確，朝目標前進，自然水到渠成。教養無它，愛與榜樣而已。

多管閒事，才會讓社會安寧

只要班上對霸凌都持著零容忍的態度，每個人都敢挺身而出為別人主持正義，霸凌者的氣焰自然低下去。

對於大腦與暴力的關係，講的最清楚的是美國賓州大學神經犯罪學教授艾錐安・雷恩（Adrian Raine）的書《暴力犯罪的大腦檔案》（*The Anatomy of Violence*，遠流出版）。暴力有基因上的關係，荷蘭有一個家族，他們成年的男性都犯了重罪，在死牢中等著執行。驗血結果發現這家族的男性X染色體有缺失，少了單胺氧化酶（MAOA, monoamine oxidase A）的基因，這基因又叫戰士基因（Warrior gene）。它是一個催化胺類物質，如：多巴胺、血清胺，使其氧化脫氨反應的酶，在細胞的粒腺體外膜上，沒有這基因的人都好勇狠鬥。

實驗者把小鼠的MAOA基因剔除（gene knockout），使小鼠身上沒有這個基因，結果牠們都變得非常兇狠好鬥，若把兩隻這種小鼠放在一個籠子裡，牠們會把對方咬得鮮血淋漓、無皮無毛，若是把MAOA注射回去，二十分鐘以後，牠們就乖乖的呈對角線蹲著（長方形的對角線距離最遠，老鼠沒有修過幾何，但是牠們都知道，非常有趣），目前已有很多實驗證實暴力有基因上的關係。

暴力也有大腦的關係，母親在懷孕時吸菸，尼古丁會使子宮的血管收縮，使血液變少，使正在發育的胎兒大腦缺氧和養分，導致發育不正常。這些嬰兒的頭圍比較小，眼眶皮質和額葉內側迴這兩個跟暴力行為有關的地方較薄，表示神經細胞的數量較少。

研究者觀察到一個沒有被打過的孩子不會去打別人，而一個會打人的孩子，他的生活環境中，一定有不好的榜樣，讓他模仿，或他自己有被打的經驗。在實驗上，一個三歲時每個月被打過一次的孩子，五歲時打人的機率比沒有被打過的孩子高二倍。它會形成惡性循環，「你打他，他打你孫子」。

打孩子非常不好，過去所謂的「棒下出孝子」是錯誤的，現在已經看到被打大的孩子對父母不會有愛，這個「孝子」就是「久病床前無孝子」的「孝子」——你不愛他，他也不愛你。研究也發現會霸凌別人的孩子多半是在沒有愛的環境中長大的孩子，打人成為一個他發洩情緒的方式。

暴力有演化上的關係，演化的目的是使基因傳下去，在洪荒時代，生存的環境惡劣，資源不足，這使得人一方面要自私——自己多吃一口就多活一天；另一方面，人又要靠團體的力量來生存，他必須和別人和睦相處，才不會被趕出團體。兩者的平衡要靠教育，教育是使人類超越動物本性的唯一方式。

研究發現，霸凌的人是個色厲內荏，對自己沒有信心，自卑又自大的人，用欺負別人來顯示自己很強。所以在霸凌初發生時，若勇敢反抗，不讓他欺負，就不會有第二次發生。你愈退縮，他愈逼進，因為軟土深掘，桃子撿軟的吃，我小時候，父母教我們「無事不要惹事，有事不要怕事」，這個教誨到現在還管用。

要阻止霸凌發生，必須學校和家庭雙管齊下才會有效。老師要教學生看到霸凌要挺身而出，當下阻止惡行，只要人多，眾口鑠金，壞人不敢逞強。父母則要幫孩子找可以結盟的伴，兩人在一起比較不易受欺負。

弱肉強食是大自然的規則，很可悲的是人類演化至今，仍然脫不了這野性。但是只要班上大家對霸凌都持著零容忍的態度，每個人都敢挺身而出為別人主持正義，霸凌者的氣焰自然低下去。這些孩子不是本性壞，是沒有家教，沒人關心他、在乎他。我們阻止他，其實也是代替他父母教育他。閩南語有一句叫「雞婆」，是多管閒事的意思，但是當每個人都多管閒事時，社會自然就安寧了。

別急著將孩子跟人比較，大雞也會慢啼

寶寶小時候經驗的確重要，因為影響他神經的連接，但是大腦只要能持續發展，快、慢沒差，成熟後的效果一樣。

學習的關鍵期（critical period）的定義是超過這個時期以後就學不好了。這個名詞來自神經學家對語言學習的研究，鳥類是所有動物中，跟人類一樣，有「側化」（lateralization）的現象，即人類用左腦說話，鳥類用左腦唱歌，因此，在研究人類語言是否有關鍵期時，用的是鳴禽。

研究者把剛孵出的白冠麻雀耳朵灌蠟，使牠聽不見外界的聲音，在五十六天之間，把蠟拿掉，給牠聽一次牠自己種族的歌，四分鐘，再把蠟灌回去，滿一百天後，把蠟取出，牠會唱，唱得跟沒有灌蠟的同儕一樣好。但是過了五十六天才讓牠聽的話，牠以後會唱，但唱得不完整；過了一百天後再取下蠟就來不及了，這隻鳥以後不會唱了。所以五十六天為白冠麻雀學唱歌的關鍵期，五十六至一百天為邊緣期（marginal period），超過一百天就不行了。但是人類不可以這樣做，所以對人類，我們只敢用範圍不那麼確定的敏感期（sensitive period）。

胎兒在母親肚子裡時，每一分鐘長二十五萬個神經細胞，等到出生時，他大腦中至少有10^{13}的神經細胞，因為每個神經細胞都需要氧和養分，大腦供應不起（大腦只有三磅，佔體重的百分之二，但是用到了百分之二十的能源），所以大腦必須把那些沒有用到的神經元修剪掉以節省能源，修剪的原則是有跟別的神經元連接的留起來，沒有連接的修剪掉。因此小寶寶對周遭的探索經驗很重要，會決定神經元的去留。

嬰兒在九個月之前，接觸的世界很有限，多半是搖籃上面的天花板，或是父母抱起來餵奶時的居家環境，但是到九個月會爬了以後，他有主動性了，不再依賴大人帶他看世界，他開始探索，經驗開始豐富。所以在腦造影的圖片上，九個月以後的嬰兒，他的神經元開始大量的連接，變得稠密，父母可以把危險的東西移開，讓寶寶盡量地爬、盡量地去探索，幫助他肌肉的發展和神經元的連接。

坊間所謂五周、八周的孩子能力明顯上升是因為大腦逐漸成熟，能力逐漸顯現出來，例如二個月時，嬰兒可以抬起頭來，因為頸部的肌肉逐漸有力量可以撐住巨大的頭了。當神經纖維上的髓鞘（myelin）逐漸包完，寶寶的動作就逐漸完善，控制眼睛焦距的神經要到十八個月才成熟，所以在十八個月以前的孩子看電視都坐的很前面，因為寶寶生下來是個三百度的近視眼，看不清楚。

很多貧苦人家的嬰兒是沒有人每天陪著玩的，印地安人下田時是把嬰兒綁的像粽子一樣，放在一個可以揹的籃子中；即使我們的祖父母輩也沒有像現在的父母這樣給予各種訓練，但是他們都能正常的長大。阿富汗的國會議長，出生時因為是女嬰，被母親丟在門口曝曬，她曬了一天沒有死，現在是政黨領袖。

寶寶在小的時候經驗的確是重要的，因為影響他神經的連接，但是大腦只要能持續發展，快一點、慢一點沒差，成熟後的效果一樣。父母不要急著把孩子跟別人比，在他大腦發育未完成前給他過多刺激、聽英文錄音帶、看閃卡都是不必要的。蘇東坡有個豬肉頌：「待他自熟莫催他，火候足時他自美。」大腦和行為的關係應該要順其自然，水到渠成時，它圓滿自如。

找出身體的韻律，改善注意力不集中的問題

人體本來就是個交響樂團，韻律本身就是動物生存的基本要求，我們的脈膊心跳、走路、說話都是有韻律的。

一位母親應老師的要求，帶她的孩子去兒童心智科做記憶力和注意力缺失的測試。結果孩子的短期記憶、聽覺記憶都正常，但是在專注力上有不足，醫生便開了「利他能」給孩子服用。她想起在學校的親子座談時，我曾經說過運動可以增進孩子的專注力（運動時，大腦自己產生的多巴胺勝過利他能中的多巴胺，因為大腦自己產生的不會有副作用），便到辦公室來問我：「如果不給孩子吃藥，孩子又不肯運動，有沒有其他的辦法來改善孩子的注意力？」

有的。最近有幸碰到瑞士巴賽爾交響樂團的三個團員，他們小時候都有注意力不集中的問題，後來進入樂團後，這現象便消失了。他們說初加入樂團時，指揮一再的要求他們仔細聆聽自己身體的節奏，來強化天賦的節奏感以配合樂團整體的演出。

他們說音樂演出最重要的就是節奏，不管這個人單獨的表現有多好，在演奏會時，一錯了節拍，馬上突兀，嚴重地影響演出水準。一個好的音樂會是所有小提琴手在同一時間，全部拿起小提琴，拉出第一個樂符的結果，是所有團員百分百默契的配合。音樂家在演出時，必須非常專心，一方面注意自己部分的節拍，一方面要注意團體的節拍。

其實人體本來就是個交響樂團，韻律本身就是動物生存的基本要求，我們的脈膊心跳、走路、說話都是有韻律的，心跳拍子一錯便是所謂心律不整，走路忽快忽慢會摔跤，說話更是如此，別人會聽不懂。**大腦神經元的發射必須要有韻律，一亂了，就會出現所謂「吵雜的大腦」（noisy brain），造成很多行為上的缺失。**事實上，現在已有很多醫生認為自閉、過動這些毛病都是吵雜大腦的結果，他們從調整大腦韻律方面著手去改善症狀，效果很好（請見《自癒是大腦的本能》最後一章）。

我去參觀巴賽爾韻律教學時，一群一年級的小朋友魚貫進入教室，脫去雪衣雪靴，換上室內鞋（這樣可以盡情地動，即使踩到別人也不會很痛），大家手牽手圍成一個圓圈，開始模仿老師的動作，老師用雙手拍打自己身體的各部位，一開始慢，後來愈來愈快。我看到所有的孩子眼睛都專注在老師身上，但是有的孩子可以馬上跟著做，有些孩子慢半拍。原來韻律真的有天賦的關係（過去常發現原住民的孩子節拍很準、身體舞動的韻律很協調）。透過反覆的練習，小朋友節拍愈抓愈準，表示這是可以訓練的。

因為專注很耗神，練習十分鐘後，老師便讓他們休息一下，我想到美國加州聖地牙哥的未來學校的教學便是把課程分成幾個核心，每十分鐘教一個核心，當緊抓住學生的注意力時，學習便進步了。孩子注意力不集中有很多原因，吃藥是治標不是治本，父母和老師可透過瑞士的方法，靠身體本身的韻律來增進孩子的注意力，從瑞士孩子的身上，我們看到注意力是可以培養的。

男孩女孩的腦迴路雖不同，適才發展最重要

男女大腦的差異是天生的，所以父母不必太過操心，順其自然發展，大自然會用健康快樂的寶寶來回報你。

二○○四年，美國十四位重量級的神經學家分析了三十個大腦，發現男女生大腦的確有顯著的差異，他們把這些切片拿去給不知情的神經學家看，請他們判斷這個腦是男生的還是女生的，結果正確率百分之百。

這些差異在很多地方可以看到，例如：

- 女生視網膜上的錐細胞（cone）比男生多，而男生的桿細胞（rod）則比女

生多。

- 女生連接兩個腦半球的胼胝體（corpus callosum）比男生厚，肉眼即可見差異。
- 女生的前額葉皮質、腦島（insula）、海馬迴和前扣帶迴（anterior cingulate cortex）都比男生大。
- 男生杏仁核比女生大，前下視丘的INAH神經核（interstitial nuclei）是女生的二點五倍大，但是男同性戀者，INAH跟女生一樣大。
- 男生的性中心（sexual center）在Preoptic Area（POA）；女生的性中心在Ventromedial Nucleus。

這些結構上的差異造成我們日常所見到的行為差異。例如：幼兒園的女生畫圖時，會用紅、橙、黃、綠等鮮豔顏色來畫洋娃娃、房子等名詞；男生會用黑、灰、藍色來畫小人打架、汽車相撞、火箭上月球等動詞，因為他們視網膜的細胞有所不同。

人類視網膜的組織可分為十層，頭一層是感光細胞：錐細胞和桿細胞。女生的錐細胞多，對顏色敏感，聚集在中央小窩附近；男生的桿細胞多，它不處理顏色，只對黑白（明暗度）敏感，散布在中央小窩以外的地方，桿細胞的數量比錐細胞多很多倍。

當這些感光細胞把訊息送到第二層的節細胞時，節細胞又分巨細胞（Magno）和小細胞（Parvo），巨細胞大部分接受桿細胞送上來的訊息，只有一小部分是來自錐細胞，它們對動作和方向敏感；小細胞主要是跟錐細胞連接，專門處理顏色、質地，只有一點是來自桿細胞。男生的視網膜佈滿大而厚的巨細胞，所以比女生厚，女生主要是小而薄的小細胞，兩者差異達到顯著性。

女生用鮮豔顏色畫名詞，因為她們的小細胞多，而男生用暗色畫動詞，因為他們的巨細胞多。

另外，從視網膜到視覺皮質的神經迴路男女生有不同。巨細胞的被稱為「where迴路」，小細胞的被稱為「what 迴路」。因為女生的 what 迴路比男生大，所以在問路、認路和指路上，女生會用顏色和地標，如：麥當勞、加油站或百貨公司；男生的where迴路比女生大，所以男生指路會用距離和方位，如向南走五公里後轉東。這個差異在五歲時就已被觀察到，二〇〇三年的研究發現女生認路用的是皮質，而男生用皮質下的海馬迴。

其實這個差異在嬰兒出生的頭一天便出現了。有一個實驗用錄影機去紀錄一百〇二名剛出生的嬰兒凝視一個人臉和一個會動的跑馬燈的時間長短。結果男生偏好會動的跑馬燈（巨細胞迴路），女生偏好看面孔（小細胞迴路），而且差異很大，男生對跑馬燈的喜好是面孔的兩倍。

女生聯結兩個腦半球的胼胝體比男生大，所以左右兩腦訊息的交換比男生快。又因為情緒在右腦，語言在左腦，女生比較會把她的情緒用語言的方式表達出來。女嬰在出生三個月後，跟別人眼神接觸、凝望別人臉的能力成長百分之四百，男嬰沒有增加。

人類的胚胎原型（prototype）是個女性胚胎，如果這個受精卵有XY基因，那麼在懷孕的六到八週時，男性荷爾蒙會大量湧出把大腦設定成男生的腦。男性荷爾蒙的出現會增加顳葉性愛區和攻擊區的細胞，使男生比較有攻擊性；女生因為身上有卵巢，所以她的女性荷爾蒙會分泌到二歲才停止，男生八個月就停止了，所以女生比男生早熟，語言能力、觀察力和同理心都比較好。智力測驗有一個項目——語言流暢度（verbal fluency），女生的表現比男生好很多。若是沒有男性荷爾蒙的出現，那麼這個胚胎就成長為女性。

男女大腦的差異是天生的，所以父母不必太過操心，順其自然發展，大自然會用健康快樂的寶寶來回報你。

孩子學習不注重快，而是成效與父母的態度

孩子是透過反覆看到一個字，聽到媽媽讀這個字的音，看到這個字在不同情境出現，經過歸納和演繹後，得出這個字的意義。

人類的大腦在演化出來的時候，世界上還沒有文字，所以大腦中並沒有專門處理文字的區塊（語言則有一個布羅卡區來處理它）。閱讀是許多大腦部位共同合作的結果，所以只要某個區塊出了問題，或連接的神經迴路中斷了，這個孩子就會出現閱讀的障礙。

因為它是一個後天學習的技巧，所以學的早或晚就沒有關係，只要學得會，效果是一樣的。中國歷史上有許多名人因幼年家貧無力上私塾，在窗外偷聽、偷

學也能成大器，所以父母不必擔心孩子多早會認字、學的有多少，只要他學得會，能把書中的知識吸收內化成為自己的就好了。

學習這件事重點在成效，不在速度。反而是父母的態度很重要，父母不必，也不該，把自己的孩子跟別人比，因為孩子的基因和環境跟別人的不同，比是不公平的。何況人比人會氣死人，心情不好，就會拿孩子出氣，怪孩子笨，傷孩子的心。其實人上有人、天上有天，比是比不完的，只要不比，心中的煩惱就沒有了，父母不可為虛假的面子傷害孩子的自尊心。

一般來說，孩子六個月大可以坐後，父母便可把他抱在身上親子共讀，講繪本中的故事給他聽。上週去香港中文大學參加「早期大腦發育與語言」的研討會，與會的學者都一致認為孩子的認字來自父母的親子共讀，寫字則來自學校的筆畫教學。孩子是透過反覆地看到一個字，聽到媽媽讀這個字的音，看到這個字在不同的情境出現，經過歸納和演繹後，得出這個字的意義。其實我們在跟孩子說話時，很少停下來解釋某個字的意義，孩子是自己透過歸納和演繹法，學會如何恰當的用那個字。例如父母抱著孩子指著兔子跟孩子說：「你看，那裡有一隻兔兔。」孩子並不知道兔兔指的是白絨絨、會跳的東西，還是那個豎起來的耳朵，還是紅色的眼睛，還是……，通常這個年齡的孩子還不會說話，即使會說，也不會問：「媽媽，你的意思是那個白色的動物？還是指紅色的眼睛？還是指耳朵？」也就是說，他第一次聽到「兔兔」時，並不知道兔子是什麼，但是他從不同場合，重覆的經驗中，慢慢釐清概念，最後得出「兔子」的意義。這種從歸納和演繹得出的概念是內隱的學習，一輩子不會忘，跟背課本上的定義那種外顯的學習，是完全不同的方式，儲存在大腦中的地方也不同。

當父母念繪本給孩子聽時，父母會指著繪本上的小白兔說：「小白兔跳跳跳，跳到……。」孩子對兔子概念的學習比跟父母外出在路上看到一隻兔子的學習還要更快，因為繪本有故事情節，它帶給孩子更豐富的背景知識，使這個概念更容易儲存。

孩子喜歡閱讀是好事，她累積的背景知識愈雄厚，將來學習新的概念愈快。因為每一種背景知識都是一個鷹架，鷹架搭得愈穩，樓可以蓋得愈快愈高。但是孩子上幼兒園主要的目的是學習跟別人相處，而這一定要從真正和別的小朋友遊戲中才學得會。人際關係需要互動，無法虛擬得之。幼兒園的孩子認不認得字不重要，會不會和別人玩才是重點。

男孩、女孩大腦的學習歷程沒有差別，差別在引導的方法。父母需要從孩子有興趣的書著手，引他入閱讀的門。

任何事，過猶不及都不好，父母不怕擔心孩子愛書變成書呆子，別人也不要害怕自己的孩子跟不上，**每個人有每個人的路，殊途同歸是大自然的真理，教養孩子順其自然，不必杞人憂天。**

培養孩子的時間觀念，改善拖拉毛病

我們要教孩子，做什麼事都有一定的時間，春天不播種，秋天就沒有收成，時間到了就要去做。

每次親子座談，我最常聽到抱怨的就是孩子做事拖拖拉拉，叫不動也講不聽。父母都問：要怎麼教才好？

我想起在美國時，曾參加過一個同事的baby shower（寶寶出生前的派對），看到有人送鬧鐘，當時我有點奇怪，因為嬰兒還不會看鐘，用不到。但是其他人立刻向準媽媽大力推薦，說這是培養孩子時間觀念最好的工具。

原來大腦有注意會動和會響東西的本性。當鬧鐘響時，孩子會轉頭去尋找聲音的來源。這時母親就跟孩子說：「我們做什麼事都需要事先預備，對不對？這個鬧鐘就是我們的預備鐘，它響了就表示還有五分鐘我們要出門了（要去洗澡了、要……了）。每次鬧鐘一響，你能馬上站起來去準備的話，我就在冰箱上貼一個星星，每一顆星星就是一個故事，晚上就會講故事給你聽。」因為孩子都喜歡聽故事，就會努力去收集星星，這樣很快就把孩子拖延的毛病改掉了。

用說故事來獎勵是個不花錢，又有效的好方法，家裡若沒有書沒關係，可以自己編，甚至自己小時候的經驗都可以講。孩子喜歡聽故事，最主要是喜歡父母的陪伴，故事內容是什麼不重要。曾有父母用錄音帶來替代床邊故事，這是不可能的，因為沒有東西可以取代父母。

床邊故事也是我們教導孩子品格的好機會。透過故事，讓孩子效法故事中的主人翁，而且感同身受後，他就不會去欺負別人、不會說謊、不會……。對孩子的說謊，父母不要用木偶皮諾丘（Pinocchio）鼻子變長來恐嚇他，而是讓他知道，只要說實話，天塌下來媽媽都會替你頂。只要你不打他，他就沒有必要說謊，孩子的品格就慢慢地養成了。

最近研究發現，訓練孩子講故事更能增加他的語文能力。美國哈佛大學教育學院史諾博士（Catherin Snow）的研究發現，五歲時，會說故事的孩子，四年級時學習和社交的表現都比較好，因為說故事用到的組織能力、詞彙、想像力和前後的連貫性，這些都是語文能力的指標。說故事的人不但要把故事內容忠實的傳遞出去（記憶力），還要解釋故事內容，誰是好人、誰是壞人，還要加上自己的生活經驗，它動用到了所有學習所需要用到的認知能力。它是訓練孩子正確表達自己意思的好方法。

我們要教孩子，做什麼事都有一定的時間，春天不播種，秋天就沒有收成，時間到了就要去做。比爾・蓋茲的父親說，孩子行為的好壞不在於管教的鬆或嚴，而是以身作則，陪伴他成長（being there）。

教養無他，愛與榜樣而已。

陪孩子選擇朋友，是保護而非管束

在孩子未成年前，父母必須知道孩子所交的朋友。這不是侵犯隱私，而是保護孩子的安全是父母的主要責任。

朋友念國二的女兒去同學家過夜時，被同學慫恿，拍了不雅的照片，本以為是同學間相互嬉戲，想不到流傳出去了。她的女兒哭得要死，說她沒臉再去學校面對同學，朋友來問怎麼辦？

現在的網路對已經流出去的東西，沒有辦法回收，只能亡羊補牢，使以後不再發生。父母要先讓孩子寬心，告訴她時間會沖淡一切，天下沒有過不去的關，然後教她什麼才是真正的朋友。

這兩點看似容易，其實很難，因為沒有一個地牢比心牢更幽暗，沒有一個獄卒比自己更嚴厲，很多人說他不得不去自殺，其實是情勢誤判。項羽在烏江若是撐到天明，就會發現並沒有四面楚歌，他還有機會東山再起。李清照有一首詩「至今思項羽，不肯過江東」，項羽自殺的太早。

第二點更難，因為壞人臉上沒有刺字。孩子常以為別人對我好、替我出氣，就是我的朋友。其實真正的朋友是孔子說的「友直，友諒，友多聞」，那種雖不聯繫，但常在心頭，有什麼好的會想到跟你分享的人。很多孩子為朋友兩肋插刀，以為這是義氣，他們不知道這個朋友會為利，把他兩肋插刀。我父親常告誡我們，不是每天膩在一起的就是好朋友，**君子之交淡如水，朋友要像天上的星星，太陽出來時，你看不見他，但是天黑了，你需要光時，他就出現了。**

酒肉朋友是你走運時，他跟你稱兄道弟，像影子一樣跟著你，你落魄了，他就不見蹤影了。這時你還得提防他落井下石，把他所知道的你的秘密向他新的主子邀功。所以我們都戒慎恐懼，生怕誤交匪類就萬劫不復。即便如此，幾乎每個人都有被朋友背叛的經驗。

一般來說，小時候的朋友比較單純，因為沒有利害關係。父母要多鼓勵孩子去跟別人玩，讓他有機會找到志趣相投的終身朋友。這是為什麼美國，即使在家中自學（home schooling），政府仍然要求父母一週有一天讓孩子去參加團體生活，因為遊戲是學習人際關係最好的時候。

學會了人際關係還要學價值判斷，比如說借錢，我父親說，這個原則很簡單，就是你要他還，就不可以借，你不要他還，才可以借。因為你不借他，主控權在你手上，是操之在你；將來他不還你錢，錢在他手上，是操之在他。父親說做任何事，要爭取主控權。當然誠信是交朋友的第一條件。

在孩子未成年前，父母必須知道孩子所交的朋友。這不是侵犯隱私，而是保護孩子的安全是父母的主要責任。

當孩子心態正確，再讓他們學習獨立

「父母放手，孩子才會放膽」是沒有錯，但現在的社會不像以前，萬一出了意外，那是一輩子的遺憾。

有位媽媽來信問如何訓練孩子獨立，自己穿衣、自己吃飯算不算獨立？自己去上學算不算獨立？原來她兒子的老師在聯絡簿上要求父母訓練孩子獨立。

我沒想到「獨立」這個觀念竟然會有代溝出現。在我們小時候，這些行為不叫獨立，叫本分：自己不會吃飯就會挨餓，自己不會穿衣服就會挨凍。這些過去認為是本分的行為現在變成要教的項目了，而且很紅，坊間有許多親子的書都在勸父母要教孩子獨立。

曾經有一位新手父親，因為相信百歲婆婆育嬰手冊之類的書，把他一個月大的嬰兒獨自放到房間去睡，哭也不去抱他，要訓練他「獨立」（書上說「現在你不讓他哭，將來他讓你哭」），結果第二天早上去抱他時，孩子吐奶噎到，已經冰冷死亡了。我不懂，一個月大的嬰兒需要訓練什麼獨立？

要孩子獨立，父母要先教會他如何做，不是把孩子推出門外，他就會獨立。有一位老師也是要她三年級班上的家長訓練孩子獨立，出的第一道題目是讓孩子自己上下學。結果一個魯莽的媽媽第二天就讓孩子獨自搭公車去上學。沒想到孩子個子矮，擠在人堆中看不見窗外的街景，不知道學校已經到了，應該要下車，一路坐到終點站。下車後，完全陌生的環境嚇得他蹲在地上嚎啕大哭，幸好書包有學校名字，才被好心人送回學校（如果是女生更有另一種的危險）。這孩子後來晚上做惡夢、尿床，有極大的不安全感。

當同事轉告我這個個案時，我不敢相信。孔子說「不教而殺謂之虐」，要孩子學獨立要先看他準備好了沒有。自己搭公車去上學，讓孩子有行動能力，不要去哪裡都要靠大人帶，的確是訓練獨立的第一步，但是要先帶著他坐幾趟，教他學校前一站是什麼、下一站又是什麼，若是坐過頭了，沒有關係，趕快下車，過街去搭回頭車。孩子只要知道下一步是什麼，便不會害怕。「父母放手，孩子才會放膽」是沒有錯，但現在的社會不像以前一樣，萬一出了意外，那是一輩子的遺憾。

至於何時訓練不是看年齡，而是看孩子的心態是否成熟，可不可以保護自己。我父親有個堂弟，十二歲時，為了保護母親和妹妹，被日本人槍殺，全村一致同意用成年人禮埋葬他，因為他做的是一個大人的行為。

獨立在現代的確是個問題，因為有些大學生畢業了都還事事依賴父母。它需要在生活中教，它跟打戰一樣，紙上談兵是沒有用的。

誠實與禮貌的大智慧

有時，我們要講一些言不由衷的話，以免傷到別人的自尊心或讓別人下不了台，這是中國人的待客之道。

在一個研討會中，我聽到負責科學夏令營的老師抱怨學生不懂禮貌，稱呼助教為帥哥和美女，另一位老師也嘆氣說，別說孩子，連他們系中新聘的助理教授都不會稱呼人，竟然叫他「老張」，讓他很不舒服。我想起《顏氏家訓》中「教婦初來，教兒嬰孩」，禮貌應該儘早教才是，便在電台節目中，請父母親暑假盡量帶孩子出去應酬，學習社交上的應對進退。不久，我收到一封聽眾的來信，談到了一個在社會上常會碰到的問題：真話可以講多少？

暑假裡，她帶小六的兒子去國外旅行。為了答謝借住朋友家的情誼，她請朋友去一家很高級的餐廳吃飯。侍者殷勤來問沙拉、麵包夠不夠。因為的確很好吃，他們每人都再吃了一份。當侍者再來問還要不要時，她的朋友對侍者說：「還要，但不必送到桌上來，直接替我打包。」她的孩子一聽，馬上說：「阿姨，不可以，還未上桌的菜不是剩菜，不可以打包帶回家。」她當場窘得不知該說什麼才好，在桌下猛踢她的孩子。她的朋友笑笑說：「阿姨喜歡就帶回家啊！」

回家後，孩子問：「媽媽，你為什麼要阻止我說話？你真的認為阿姨這樣打包沒關係嗎？你們要我遵守規則，可是你們自己卻不遵守。」她跟孩子說，她是東道主，主人不能使客人難堪，所以她沒有說話，但這不代表她認同這種行為。孩子仍不高興，認為她是虛偽。

她說她很高興台灣的品德教育成功，孩子才小六，就已有明確的是非觀念，但她很苦惱台灣作榜樣的政治人物是非不分、假公濟私還私仇公報，貪小便宜的事情更是天天都有。她舉例說：「上次風災後，政府組織了志工團去台東幫忙。

結果有人搭免費的火車、住進免費的民宿後，就不見了，跑去玩了。」她非常不恥這種人，但社會上比比皆是，也沒有人出來指責。過去我們認為不可以做的事已變成灰色地帶，被默許了，例如對婚姻不忠誠、外遇、小三；政府不講誠信，出爾反爾；學生可以任意毀壞公物而不被起訴……，難怪現在孩子價值觀會混亂，大人都在說一套、做一套。她問：我們該怎麼教孩子？

在現代教孩子要有智慧，在事情發生的當下正是教育孩子最佳的時機。這位媽媽可以跟孩子解釋，有時，我們要講一些言不由衷的話，以免傷到別人的自尊心或讓別人下不了台，這是中國人的待客之道。國外用餐要給小費，所以侍者會很殷勤，但是他不應該把店東的麵包無限量送給客人；打包是對的，因為不浪費食物，但是不可以打包自助餐櫃檯上的食物，只能打包自己吃剩的；人可以圓滑，但不可以油滑。

人情世故最難教，難怪俗語說：「世事洞明皆學問，人情練達即文章。」只有靠多看、多體會，分寸才會拿捏的剛好。做人是一個大智慧，千古的學問，這位媽媽已經做的很好了，我為她慶賀，更為台灣有這樣正直的小學生高興。

懲罰前，先讓孩子了解自己做錯什麼

從小教孩子正確的行為，通常不必動用到懲罰，孩子便能聽話，若要罰，也請有邊際效益，使孩子有學到東西。

我問了身邊的同事，在長大的過程中，幾乎沒有人不曾被罰過站的。而文獻中，竟然沒有一篇論文是去檢討罰站的效果的。

懲罰的目的是使行為不再出現，因此鞭刑這種肉體的疼痛，會使下次想做時，先考慮一下（的確很多人是想到痛，就不敢再做）。但是罰站是不痛不癢，它的目的何在？

我小時候父親要我背《論語》，背不出來時，要罰站。我一直很不解，站完了，不會背的仍然不會，為什麼不讓我一邊站，一邊背？至少站完了，書也背會了，不是嗎？

我曾斗膽問過一次父親為什麼要罰站，父親說：「那是要你面壁思過。」但是小孩子站在那裡，哪裡是在思自己的過？都是在思別人的錯。比如說：「真倒霉呀！怎麼做壞事時，老師剛好走過，逮個正著。」或是「小妹真可惡，跑去告狀，等一下我一定要去報仇。」

我一直到念大學，修兒童發展的課時，才知道六歲以前的孩子根本就是自我中心，只會從自己的觀點出發，不會去替別人想。叫他思過，真的思的都是別人的過，難怪罰站沒有效。過去「只問耕耘不問收穫」的觀念是錯的，必須從收穫中來檢討耕耘，才會知道耕耘的對不對。

最近的研究發現，要有效的防止孩子不再犯錯，要先教他如何做才是對的，也就是說，跟孩子說No時，要指出一條可以走的路。演化的研究發現，未成年的動物最怕失去父母，他們會盡力去討父母的歡心，以保護自己不被父母拋棄，因為沒有父母的動物活不到第二天太陽的昇起。很多時候他們犯錯是不知道這樣做不可以。另一個原因是他們大腦前額葉抑制的功能尚未成熟，雖然明知不可，但念頭出來了，壓抑不下去。我曾看過一個二歲半的男孩在玩電話，他一邊拿起電話筒，嘴裡一邊告訴自己「公公罵」，但是手仍然忍不住去拿電話。

父母不要讓孩子因恐懼犯錯而不敢去試新的事，這對孩子的創造力發展不利孩子可以犯錯，只要不犯第二錯就好，也就是說，要從錯誤中學到教訓。

現在的教育不贊成體罰，那麼不用體罰又講不聽時，要用什麼樣的方式才會有效？在美國，最常用的方式是沒收特權，即放學後不准看卡通、不准玩電玩、晚飯後不准吃冰淇淋……，使他為了要再看卡通、再玩電玩而控制自己的行為。

但是我認為比較好的方式是罰勞役。家中一定有很多事是孩子可以幫忙做，也需要學會做的，如掃地、擦地板、洗碗，它的好處是在做時，大腦會產生多巴胺（dopamine），這是一個正向的神經傳導物質，使孩子心情好；做完了，地板變乾淨了，這是一個成就感，它也會刺激孩子的愉悅中心，這更是一個生活能力的學習。孩子在做時，父母若能在旁教他正確的做事方式，那麼，不管他學到多少，罰勞役效果都比呆呆地罰站來得大。

父母不是不可以懲罰孩子，但是懲罰的方式要對，不要用打的造成肉體傷害，也不要辱罵孩子造成心靈傷害。通常父母生氣了，不理他了（所謂的冷處理），孩子就怕了，不敢撒野了，因為他最怕的就是失去父母的愛。

教養孩子最好的方式是以身作則，因模仿是天性，孩子大腦中的鏡像神經元使他在不知不覺中就模仿出大人的行為來，中國人說「上梁不正，下梁歪」是有道理的。只要從小教孩子正確的行為，通常不必動用到懲罰，孩子便能聽話，若要罰，也請帶出一些邊際效益來，使時間過去，孩子有學到一點東西。

讀得勤，不如睡得飽

老師不要出太多抄寫作業，父母不要送孩子去補習，當孩子睡眠充足時，學習效果比去補習班強，身體還會健康。

開學了，學校旁邊的公車站又熱鬧起來了。等車時，我聽到一個孩子跟他媽媽撒嬌說：「好累哦，我覺得都沒有睡飽又開學了。」他母親笑說：「又不是豬，睡了一個暑假還沒睡飽，豬睡了會長膘，你睡了會長什麼？」我聽了在心中暗笑，會長高呀！我們在睡眠時，會分泌生長激素，睡得飽才會長得高。睡眠還可以幫助記憶，使學習事半功倍。

法國里昂大學的研究者找了四十位學生來實驗室學習十六個非洲史瓦希利（Swahili）語言的生字，第一組是早上九點和晚上九點各來學一次，要學到百分之百正確才能離開；第二組是晚上九點來學，學完回去睡覺，第二天早上九點再來。在確定二組學生都完全學會後，請他們在一週後、在六個月後，再回到實驗室來看還記得多少。也就是說，這二組學生一切待遇都相同，中間都是間隔了十二小時，只是第二組回家睡了一覺而第一組沒有。當一週後再回來接受測驗時，睡眠組幾乎滿分，平均記得十五個字，六個月後還保有一半以上；清醒組一週後有十一個字，六個月後只剩三個字。

原來我們的記憶有二個因素在交互作用，一是提取強度（retrieval strength），另一是儲存強度（storage strength），前者決定立即回憶的表現（所以當場可以學到百分之百的正確），後者反映的是學習的程度，儲存強度愈強，後續再學能力愈強，日後被干擾所引發的遺忘愈少。因此要記憶好必須提高儲存強度。第二組因為睡覺時，眼睛閉上了，就沒有新的訊息進來干擾；做夢時，大腦去蕪存菁，把白天發生的事拿出來整理，再透過睡眠時的「固化」

（consolidation）作用，把這些記憶強化後，送去儲藏，所以學習效果較好。睡眠時，大腦還會分泌血清胺（Serotonin），幫助記憶，所以睡眠組的表現就比清醒組好了。

多年前，卡耐基美隆大學也做過這種實驗。學生也是早上和晚上都來實驗室解難題，中間也是間隔十二小時，一組有睡，一組沒有。結果睡了一覺的學生第二天早上解決問題的能力增加了百分之二十二。最近還發現有些被認為是ADHD的孩子，其實不是注意力有缺失，而是晚上偷打電玩，沒有睡覺，所以上課不能專心、神情恍惚。因為睡眠不足和ADHD表現在外的症狀很相似，所以ADHD的誤診率高達百分之二十四，僅次於阿茲海默症。

睡眠對學習很重要，我們要盡量讓孩子睡得飽，老師不要出太多的抄寫作業，父母不要送孩子去補習，當孩子睡眠充足時，他的學習效果會比去上補習班強，身體還會健康。

讓孩子透過玩樂，學習正確的知識和態度

孩子小時候要盡量讓他去跟別人玩，讓他透過模仿別人所帶來的感同身受體會，學會與人相處的正確行為。

一位過去常見面的朋友最近突然消聲匿跡了，用簡訊聯絡她都是已讀不回。對一個七十歲獨居的老人來說，這個反常的現象令人擔心，於是大家約好抽空去看她。在門鈴按了三次後，她終於來應門了，但披頭散髮、容顏憔悴，讓我們大吃一驚。原來她三歲半的孫子在托兒所被同學欺負，又學會了講髒話。在跟老師和兒媳溝通不良後，她決定自己來帶，不送托兒所了。但是帶孩子是件非常耗體力的事，尤其是好動、不愛睡覺的小男孩，因此她每天都被整得精疲力竭。想到

她以前斬釘截鐵的說絕對不替媳婦帶孫子，再看到她現在的樣子，大家不禁莞爾，真是天下父母心。

但是孩子需要在團體中長大，在遊戲中培養人際關係的基本能力。研究發現小時候不會跟別人玩的孩子，長大後只能跟電腦玩，因為只有電玩這種沒有生命的玩伴，才可以忍受重複、不合理的咒罵和毆打而不離去。這種孩子長大後容易變成宅男，而孤寂的人生會使孩子思想偏激，尤其最近好幾個冷血的兇手都是孤僻、沒有朋友的宅男。朋友聽了嚇一跳，頻頻問證據何在。

其實證據很多，研究發現會玩的孩子EQ高，因為人類是在同儕團體中完成他的社會化，而不是跟他的父母。尤其實驗發現孩子對別人的態度非常敏感，會因此而調整他自己的行為。一個十八個月大的嬰兒就會討好大人，作出大人想要的行為。

這個實驗是在幼兒面前放二只碗，一只碗內是寶寶最喜歡的小餅乾，另一只碗內是寶寶不喜歡的青花菜。實驗者故意在寶寶面前拿起青花菜吃：「好好吃唷，我好喜歡吃青花菜唷！」她再從碗中拿起一塊餅乾放進嘴裡，馬上皺眉頭說：「難吃死了，我不喜歡！」然後，她把手伸出來跟寶寶說：「我肚子餓了，給我東西吃。」這時，十五個月大的寶寶會抓餅乾給實驗者，因為他還不會替別人想，只會推己及人，從自己的觀點出發：「我喜歡餅乾，別人一定也喜歡。」就拿餅乾給實驗者了。但是才差三個月，一個十八個月大寶寶就已經會從別人的觀點來看事情：「我是喜歡餅乾沒錯，但是他不喜歡，他剛剛才說他喜歡的是青花菜。」所以，就拿青花菜給實驗者了。我們看到話都還講不清楚的幼兒就已經會察顏觀色，有了《顏氏家訓》中所說的「察人顏色，知人喜怒」的本事了。

因為孩子天生愛討好大人，所以大人應該在這個時期教會孩子各種好習慣，這時期的學習屬於內隱的學習，是直接儲存在神經連接的突觸上，即便將來不幸得了失憶症，這個行為或習慣都還在。**所以孩子小時候要盡量讓他去跟別人玩，讓他透過模仿別人所帶來的感同身受體會，學會與人相處的正確行為。**

對於孩子被別人打，做父母的一定會很捨不得，但是父母不可能一輩子陪在孩子身邊保護他，總有一天，我們會離他而去，所以要先替他準備好應對這個世界的不公，父母要隨時把握機會，就當時的情境，教導孩子如何保護自己。比如說，盡量不要落單、盡量不要跟這種會打人的孩子玩，當他走近時，自己趕快避開；也可以教孩子數招自衛的方法（這是為什麼很多華人孩子在美國都去學柔道或武術），最主要是教會他保護自己，而不是去保護他。

至於講髒話，現在環境是如此，他不可能不聽到，但他可以不講。大人只要一聽到孩子講髒話，就告訴他不可以說，若講不聽就扳下面孔，不理他，因為演化上，沒有父母的孩子活不了，所以孩子會很在乎大人不要他，但是切記，大人自己不可以在他面前講髒話，以身作則很重要，孩子是看著大人的背影長大的。史懷哲說身教是教育孩子唯一的方法。

從朋友家告辭出來，我們一則以喜，一則以憂。喜的是老朋友無恙，憂的是現在社會風氣如此的壞，連幼兒都會罵髒話，以後怎麼辦呢？

讓孩子喜愛閱讀，培養創造的能力

父母不妨從床邊親子共讀做起，打造孩子閱讀的能力，從而增強他的創造力，使他能主控未來。

二〇〇七年是人工智能的關鍵年，那年的一月，蘋果的iPhone上市，在二〇〇七年之前，我們沒有iPhone、沒有臉書、沒有推特、沒有Kindle，沒有Airbnb、沒有Hadoop。十年後的今天，人們已經無法想像沒有手機和臉書的生活了。二〇〇一年時，定序一個人基因體的費用是一億美元，二〇一五年時，已經降到一千美元。這些生活上的巨大改變使得父母不知該如何去為他們的孩子做準備，才不會被超強的人工智能所取代。

其實管理學大師彼得・杜拉克（Peter Drucker）很早就說過「用你的長處去和別人的短處競爭」，因此在阿爾法狗（AlphaGo）打敗韓國的棋王後，各國的教育學家立刻去思考人類的長處，並重新檢討他們的教育政策，擬訂出可以因應人工智能時代的課程。

德國和芬蘭是兩個做得最好的國家，他們發現孩子出社會所需用到的知識還未發明，但是每個人都得學會管理自己的生活，因為他們教育的目的是把孩子教成有用的人，不能變成社會的負擔，所以他們的幼兒教育著重在生活自理及品德教育。他們盡量從符合兒童大腦發展的程序去改革教育，他們的老師學會放手讓孩子從經驗中學習，因為**神經迴路連接的強化是透過持續不斷地練習，只有不斷地練習，才能使做這件事的神經迴路變得大條、臨界點變低，只要些微外在刺激就能使行為自動出現**。例如：有個二歲的小男孩花了半個小時去穿他的褲子，老師看著他穿，但沒有給予幫助，當他終於穿上時，他穿反了，拉鍊在後面。老師並未叫他脫下重穿，由著他穿著反著褲子去玩。一天，二天，三天都是反的，但是第四天他穿對了，而且從此沒有再穿反過。老師和父母知道唯有透過孩子自己去做才能強化他的神經連接，所以他們耐著性子，等待孩子自己學會。

在人工智能的時代，父母無法教還未發明的東西，唯一的方式就是替孩子準備好學習的能力，當新知一出現時，他能快速的掌握它。因此持續不斷地終身學習是應付二十一世紀人工智能時代唯一的方法。我們把要背誦的記憶部分交給雲端去保存，把人的腦力釋放出來作組織和整理。記憶是電腦最強的地方，我們不必去跟它的長處拚，但是電腦沒有心、沒有感情（雖然電腦會寫詩也會作曲，而且幾可亂真），畢竟它是冷冰冰的機器，不懂人情世故，我們可以在這一項上打敗它。所以現在的孩子需在文學、音樂、藝術等人文素養上增強。

這些也是創造力的元素，創造力來自寬廣的背景知識，所以閱讀在二十一世紀更重要，因為眼睛吸取訊息的能力比耳朵快三倍，孩子必須能快速吸取訊息，在腦海中做出有效的組織整理，再利用綿密的神經迴路去產生舉一反三的創造力。

這是目前大家公認對抗阿爾法狗唯一的有效方式。父母不妨從床邊親子共讀做起，打造孩子閱讀的能力，從而增強他的創造力，使他能主控未來而不是被未來所控。

第四單元

人民離不開時事，必須懂得從中判斷與創造

無論任何行業皆應認真投入，才能有所獲；
企業界要禮遇人才，方能留住人才。
珍惜現有的和平，保有未雨綢繆的危機感，
展望未來才能保有國家文化。

人的理性受情緒影響，冷靜思考才能看穿騙術

人雖然不了解情緒，但每天生活的感受卻是實在的，日子過不下去時，大腦便比較以前和現在，新的判斷就產生了。

報載春節時，馬英九走到哪裡，都被民眾熱情的包圍，還有人「偷親」他，相較於他卸任前的民調，很難相信這是同個國家老百姓的反應。

科學家告訴我們，人不是理性的動物，因為人受情緒所影響，但是到現在還摸不清它的底細，不是不知道它的生理機制，而是對它加諸人身上的力量無法了解。

曾經有人因車禍腦傷，雖然他的理解能力無礙，卻失去了情緒的感覺。當他

要買輛新車來取代被撞壞的舊車時，他明知兩種車型的優缺點，卻因沒有喜好而不能做取捨，最後只好丟銅板來決定。這很令人吃驚，我們還以為愈是沒有感情，愈能冷靜的做決定。

原來情緒不是絕對值，而是比較值。紀曉嵐在《閱微草堂筆記》中說：「人生苦樂皆無盡境，人心憂喜亦無定程，曾經極樂之境，稍不適則覺苦，曾經極苦之境，稍得寬則覺樂矣。」他原是乾隆皇帝的寵臣，因洩露查鹽的訊息給他的親家，被貶到伊犁（他什麼都沒說，只派人送一個信封去，裡面有一把鹽、一把茶葉）。一個養尊處優的老人長途跋涉到新疆，本來就很苦了，好不容易到了衙門，想休息一下，卻發現床只有三個腳，站不穩，又沒有蚊帳，蒼蠅蚊子嗡嗡叫，無法睡。後因太累，昏昏睡去，結果做惡夢，在大海中，蛟龍興風作浪，把船弄翻，好不容易掙扎上岸，猛虎又出現，正在千鈞一髮之際，驚醒了，原來是南柯一夢。這時原來不能忍受的溽熱蚊蠅都不在乎了，因為自己還活著。所以苦樂是比較的。

人雖然不了解情緒，但是每天生活的感受卻是實在的，日子過不下去時，大腦便把以前和現在的情形拿出來比較，新的判斷就產生了。

不幸的是，大部分人是後知後覺。黃大洲因拆公園預定地的房子，失去台北市長的寶座。後來市民去大安森林公園時，就想到當年他是對的，後悔沒有把票投給他。因此現在老百姓看到政府種種的作為，很自然的會去懷念馬英九時代的正直和清廉，當再看到他時，就去簇擁他了。

這是政治弔詭之處，也是人性的弱點，難怪政客總是用騙的。今年又要選舉了，希望大家前事不忘後事之師，能看穿騙術，不再上當。

失敗後的成功最甜美，對順利才會有感恩的心

友情需要培養，但不是吃喝玩樂而是心靈溝通。人的額頭上沒有刻君子或小人，只有透過經驗才分得出損友和益友。

美國大法官羅伯茲（John Roberts）在對高中畢業生致詞時，沒有像別人一樣祝福他們一帆風順、心想事成，反而希望他們在人生的路中經歷挫折、失敗、背叛等逆境，他的另類講稿引起了媒體的注意。

他是對的，從大腦實驗中得知，經驗促使神經連接，大腦的神經地圖因經驗而改變，而負面的情緒經驗改變力最強，不能從失敗中汲取教訓的人是沒有競爭力的，因為大自然通常不會給你第二次機會，生命教育透過體驗的學習最有效。

所以人生中的挫折是本分，順利是福分，透過挫折失敗後的成功最甜美，對順利才會有感恩的心。所以羅伯茲說：「希望你們將來遭遇背叛，這樣你們才會知道忠誠的重要性。」

我兒子在念小學四年級時，有一天很興奮的回來告訴我，有同學要在假日帶他去他們家的果園採橘子和挖筍。他那天早早起床，穿好長袖長褲，塗好防蚊液，揹上水壺，很興奮的在校門口等他同學，但是一直等到太陽下山，同學都沒有來帶他。經過這一次以後，他對承諾非常在意，只要是答應的事一定做到，如果有延誤，會打電話來說已經做到什麼程度了，大約再多久會好。他永遠記得等待的心焦和爽約的失望，他不要把這個不好的感覺加諸別人身上。

羅伯茲又說：「我希望你們感到孤單，這樣才知道朋友的重要性。」友情需要培養，但這個培養不是吃喝玩樂而是心靈的溝通。好朋友像天上的星星，不是總是看得見，但天黑了，你需要他時，他就出現了。古人說：「君子如水，小人如油。水味淡，其性潔，其色素，可以洗滌衣服汙穢，沸後加油，不濺出；油味濃，其性滑，其色重，可以汙染衣服，沸後加水，必四濺，所以小人無包容之心。」但是人的額頭上沒有刻著「君子」或「小人」，只有透過經驗才分得出損友和益友。

羅伯茲又說：「我希望你們會遭到不幸，這樣才能意識到機率和運氣在人生所扮演的角色，成功不見得完全是你的能力，失敗也不見得是罪有應得。」的確，**時勢造英雄，但也只有準備好的人才抓得住機會，順勢而起。不幸使人謙卑，謙卑才會有貴人助你。**

最後，他說：「我希望你在失敗時，你的對手對你幸災樂禍，這樣你才會了解運動家精神的重要性。」我們常看到有人愛打落水狗，看人跌倒了，趕過去狠狠踹他一腳。其實這是不厚道的，人無百日好，花無千日紅，東風也有向西時，告訴孩子「人情留一線，日後好相見」，他的人生會順利的多。

珍惜現有的和平，保有未雨綢繆的危機感

父親會搶救房契和證件，因為他在乎全家的生計；母親會搶救我們的照片，因為她在乎兒女，童年照片失去，便是失去。

最近報上常有火災的新聞，因為天氣冷使用電暖爐，容易電線走火，尤其有次韓國醫院大火燒死三十七個人，令人觸目驚心。昨天在午餐時，有個同事心血來潮問大家：「如果你家公寓失火，你會第一搶救什麼？」大家一時都講不出話來，表示平日沒想過。

這是很好的問題，因為人在緊張時，會大量分泌腎上腺素，使全身的血液都集中到四肢來準備逃命，大腦變成一片空白。若沒有事先想好，就會像《亂世佳

人》電影中的那個小黑奴，抱了這個，放了那個，每個都重要，每個都沒拿。

我小時候，八二三炮戰，全台戒備，情況很緊急，很多人家裡都挖有防空洞。我父母因為逃過日本人的難，所以對戰爭很警戒，台海戰爭一爆發，就天天訓練我們逃難的必要措施。父親把身分證照相（那時沒有影印機，或至少沒有我們小老百姓可接觸到的影印機），副本發給我們，告訴我們緊急時，命最重要，因為留得青山在，不怕沒柴燒，但身分證一定要帶，因為他看過太多的流亡學生沒有證件時，別人不承認他是誰。

我父親一輩子沒忘掉逃難的恐懼，我出國時，他給我一條金項鍊，一定要我掛在脖子上。當時年輕，覺得金子很土，不肯掛，父親告訴我，多少人在逃難時，因為缺一點船錢、車錢而命喪黃泉，所以人要未雨綢繆，不怕一萬，只怕萬一。但是那時台灣承平已久，而且我是去美國念書，怎麼會要逃難？但是不願拂逆父親的好意，只得勉強掛上。想不到一九七二年我先生出來教書時，窮學生身無隔宿之糧，教授的薪水要到月底才發，但月頭要先吃飯才能活到月底發薪。在異鄉，無人可告借，無奈何時，突然想到爸爸的金項鍊，拿去當了，才撐到月底發薪。從此我對老人的處世智慧敬佩有加。

現在回想起來，這種一輩子不忘的教訓，就是心理學上的「一次學習」（one trial learning），只要跟生命有關的學習，一次就會，因為大自然不會給你第二次機會。也看到「時危見臣節」，急難時，才可以看出一個人的價值觀：父親會搶救房契和證件，因為他在乎全家的生計；母親會搶救我們的照片，因為她在乎兒女，童年照片失去了，便是失去了。

當然現在的父母都不必在意這些了，因為不管是證件或相片，只要掃瞄儲存在雲端即可。但我也好奇，對現在的年輕人，什麼才是重要的？我問時，同事們彼此互看一眼，爆笑起來說「命最重要」。是的，在他們的時代，命最重要，要證明自己是誰，電子掃瞄面孔、按個指紋即可，哪裡要像流亡學生那樣，為生存，得冒用別人的身分證，連自己的姓名都得改掉。時代的悲劇又哪裡是現在沒有經歷過戰爭、豐衣足食年輕人可以想像的呢？

看著他們沒有任何風霜的臉，好想告訴他們，珍惜現在的和平，**戰爭是人類最殘忍的發明，祈禱他們永遠不要嚐到妻離子散亂離人的滋味。**

展望未來才能保有國家文化

文化是一個國家民族的根，從來沒有根斷而可以活的樹，所以智者不會去挖根，更不會用政治的力量去拔根。

在國際會議中，聽到一個學者說秘魯某部落的印地安人，在講到過去發生的事時，手指的是前面，而談到未來的事時，指的是背後。這和大部分語言的空間標示不同，例如我們中文就是用前面表示未來，背後代表過去。

這位學者於是請教該族的耆老為什麼是這樣，老人很驚訝的反問：「為什麼不是這樣？你看到的都是已經發生的事，它當然在你面前，而未來是看不見的，難道你背後有眼睛，知道未來是怎麼樣的嗎？」

老人說：「人生好比站在懸崖的邊緣，懸崖一直在崩落，你必須不停地退後，才不會掉下去，你若站著不動，就會喪命。但是如果你沒有看到前面的崩壞，你就不知道要後退保命，所以過去是在你的前面，指點著你的未來，不知道過去的人，會沒有未來。」

原住民的智慧令我肅然起敬。過去我們認為原地踏步沒關係，至少還在原地，現在知道是錯的，守成只會被無情淘汰。台灣現在所有的精力都放在批鬥過去的恩怨上，大家忙著為轉型正義找理由，完全無暇顧及前面的坍方，自然不會採取行動來拯救台灣，令人憂心。

展望未來是個困難的作業。有個實驗是請大學生寫下去年和十年前發生的事，以及明年和十年後會發生的事。結果發現對過去，人可以回憶的很好，預測未來卻很茫然。學生只會說：「我想我應該結婚了。」「或許已經有小孩了。」問及他們從事的行業或生活的改變，幾乎都不能答，更不要說預測社會和世界的變遷了。

這是因為回憶和前瞻用到的大腦部位不同，能量也不同。想像未來要用到很多大腦的資源，而人的本性是好逸惡勞的。難怪台灣的政客拚命在挖過去而不去展望未來。特斯拉（Tesla）的創辦人馬斯克（Elon Musk）據說可以看到未來五百年，所以他發展電動車和太陽能發電，因為到那個時候，世界已經沒有石油了，但太陽依舊每天升起。他敢面對困難，所以他會有未來。

文化是一個國家民族的根，從來沒有根斷而可以活的樹，所以智者不會去挖根，更不會用政治的力量去拔根，人才也必須看到未來，才不會出走。台灣現正快速崩壞中，殺到紅眼的政客可以停下來看一下嗎？台灣已經快要消失了呢！

馬上行動，有決心和毅力才能改變拖延習慣

生命不能等待，教育不能等待，一蹉跎，生命就流失了，孩子就長大了，機會就不再了。做好事就在當下，年齡不是問題，行動力才是。

有個學生說他有拖的習慣。高中時，有老師在後面鞭策，還好。進大學後，沒人管了，他上學期的主修都不及格，問該怎麼辦？

人是好逸惡勞的，遠古時，因為食物匱乏，演化使人盡量節省體力，以備不時逃命之需；又因為人生很多事是事緩則圓，所以人有觀望的心理以及「明日復明日，明日何其多，我生待明日，萬事成蹉跎」的拖延習慣。但是積習雖然難改，有決心和毅力還是能改變大腦神經的連接，所以「造命者天，立命者我」，

蒙古諺語：「言語殺死的獵物搬不上馬，嘴巴殺死的獵物剝不了皮。」這個關鍵在「做」這個字上。

從瑪利亞社會福利基金會「小學生公益行動競賽」的例子，我們看到只要去做，年齡不是問題，小學生的行動力和成效跟大人沒差，他們像南海的和尚一樣，別人還在猶豫，他們已經朝聖回來了。

在得獎的作品中，我們看到彰化市的小朋友發現社區裡有一些老房子閒置著，他們查縣誌，發現竟是一九二〇年「郡守」的家，是自己社區的歷史，現在縣政府決定保留它們。

又如阿里山國小的學生，看到冬天山上氣溫低，老人家怕冷，就自動去幫部落的老人劈柴生火，燒熱水給他們泡腳、洗臉、剪腳指甲。很多人不知道剪腳指甲是老人家最無奈的事，因為他們年紀大，彎不下腰，也舉不高腳，無法自己剪，有老人的腳指甲甚至長到肉裡，無法走路。這些小朋友像及時雨，造福了需要的老人家。

又如高雄的小學生看到水泥廠造成空氣污染，他們向環保局檢舉，得不到正面的回應後，決定走出學校去遊行，有效的喚醒了市民的環保意識。

得頭獎的是新北市大成國小的孩子，他們替流浪貓結紮，使牠們不再不停地繁殖下去，這是釜底抽薪，徹底解決流浪動物問題的方法，做的比政府還好。這些例子都顯示了做好事，年齡不是問題，行動力才是。

實驗發現，**只有體驗才會有感動，有感動才會有改變，生命教育一定要親身體驗才會有效果，沒有任何一個生命教育的課比讓孩子實際幫助別人效果更好。**

我曾問他們為什麼不等長大一點再做？他們異口同聲地回答：「生命不能等待，教育不能等待，一蹉跎，生命就流失了，孩子就長大了，機會就不再了。」

這個世界需要更多的愛與關懷，「為人點燈，明在我前」。做好事就在當下，這些小學生擁抱別人的胸懷及劍及履及的態度，我確定他們以後的人生一定會圓滿順利。

帶人需帶心，尊重所有職業，他們才會為你所用

知識分子是國家的力量，當他們被誣蔑為米蟲時，你還期望他們來保衛國家、維護你的安全、為國家貢獻所學嗎？

朋友的兒子從小立志作警察，求學過程一路以警大為目標。想不到新生訓練時，我在我的校園裡看見了他。我很驚訝，他只淡淡的說了一句「作警察沒尊嚴」。是了，打不還手，罵不還口，別人攻進立法院沒事，警察維持秩序卻要吃官司，像這種沒尊嚴、吃力不討好的事，誰要去做警察？

有個實驗是請大學生來實驗室組合樂高，作完有三元美金的酬勞，但酬勞是遞減的，第二次二元七角，第三次二元四角，以此類推。學生分為二組，第一組

作完後，實驗者從桌下拿出一盒新的樂高，問他願不願意再做；第二組，實驗者對他說因為材料不足，需把他剛做好的樂高拆掉，重複使用舊材。第二組眼見自己的成品被否定，二次以後就不願再做了。第一組則一直做到沒酬勞了還做。顯示人被否定時，給錢也不幹，有興趣時，沒錢也幹（這個實驗也解釋了為什麼很多孩子不肯寫作業，因為媽媽一直把他辛苦寫的字用橡皮擦擦掉）。

帶人要帶心，要人賣命，需要人甘心。台灣農業缺工，但是也有農夫四十年不缺人手，因為他善待工人，所以別人會先來採收他的荔枝；也有位遊艇製造者待工人如家人，二〇〇九年世界金融泡沫化，訂單不進來時，工人自願領七成薪，幫他度過難關。

人不怕辛苦，只怕徒勞無功。現在台灣人才出走，不見得是薪資低，不被重用、不得發揮是主因。尤其用腦的行業，必須尊重腦力者，因為他可以像三國時的徐庶一樣，身在心不在，終身不為曹操設一謀。士會為知己者死，但萬人異心，則無一人可用。

我曾去新北市一個區公所演講，它的居民大半是新住民，社經地位低弱。因教育是脫離貧窮唯一的機會，所以我答應星期六上午九點到十二點去講親子閱讀。我中間沒休息，一口氣講到十一點半結束時，承辦人員進來說：「老師，我付你錢到十二點，時間還未到。」

許多東西不可以量化，生命是一個，知識是另一個。軍人和警察最要被尊重，因為所有的生命和財產在他們手上，知識分子則是國家的力量，當他們被誣蔑為米蟲時，你還期望他們來保衛國家、維護你的安全、為國家貢獻所學嗎？

無論任何行業皆應認真投入，才能有所獲

我們不能使壞人減少，卻可以使好人增加，只要更多的年輕人願意全心投入使台灣更好，我們就有希望了。

《書經・洪範》的五福是「壽、富、康寧、修好德、考終命」，現代的五福是「老本、老伴、老友、老狗、安樂死」，其中老友是可遇而不可求。

今年中秋節，老伴去美國開會，老友便邀我去她家過節，飯後照例一杯香茗。這茶一端上來，茶的清香立刻使我眼睛一亮，再喝一口，馬上起身去廚房：「你今天泡的是什麼茶？」主人微笑說：「今天過節，請你喝得過神農獎的好茶。」原來如此，果然不同凡響。

當我得知這是兩兄弟在雪山住了二十年才種出來的茶時，便央求老友帶我上山去看，因為早期山裡是無水無電的，我有點不相信兩個十幾歲的慘綠少年，能守得住孤寂，天天看星星，看二十年。

拜中華電信之賜，深山中也有訊號。約好他們後，我們便上山。去了，看了，才知道，茶真正的藝術在製茶，不在泡茶。

他們的茶園在海拔三千公尺的山谷中，日照充足，早晚雲霧瀰漫，又因沒有人煙，完全沒有污染，每片葉子都綠得發亮。灌溉的水則是雪山引下來的。除了父親傳授的製茶技術之外，他們還去各地拜師，自己也進修學習科學的製茶方式，如控制萎凋時的溫度和水分，使茶葉保留葉子的芳香和喝後的回甘。

這個過程當然很辛苦，但是天下沒有不勞而獲的東西。他們說每次一放假，就得隨父親上山除草，他們問：「別人都用除草劑，為什麼我們要蹲在地上這麼辛苦地拔？」父親說：「我們要靠這片土地生活，必須善待它。」

我問父親怎麼捨得讓孩子國中畢業就上山守茶？父親說：「種茶是辛苦的事，若沒有從小習慣，長大不容易入行。」

的確，人是由儉入奢易，由奢入儉難。《菜根譚》說：「人若能咬得菜根，則百事可成，成功自清苦歷練中來，亦自栽培灌溉裡得。」這兩個孩子咬得住菜根，所以練出了成果。

上山時，看到報上讀者投書：但願「國」長久，千里共嬋娟，知道國家現在處境困難，風雨飄搖，很是難過；下山時，我滿心歡喜，忘卻舟車勞頓，因為我看到了希望。

我們不能使壞人減少，卻可以使好人增加，只要更多的年輕人像他們一樣，願意全心投入使台灣更好，我們就有希望了。

寧吃少年苦，不受老來窮

年輕身體強壯時，吃點苦；不要老了，做不動時，再來窮，那才是真正的苦。脾氣可以磨練，而挫折是磨練脾氣最好的工具。

朋友的孩子網球打得很好，才高二，已有人想請他作小朋友的教練了。朋友來問：「又念書又打工會不會太累？會不會影響他考大學？」我說只要他願意，即使累，也沒關係；時間的分配在於自己，想做的事自然有時間做，父母不必太操心。最近的年金改革讓很多人很無奈，不如年輕時吃點苦，老時才不會辛苦。

俗語說：「寧吃少年苦，不受老來窮。」年輕身體強壯時，吃點苦，沒有關係，不要老了，做不動時，再來窮，那才是真正的苦。而且年輕時，血氣方剛，常會為點小事，一生氣，便辭職不幹，回家去吃父母。但是父母會老，沒人依靠時怎麼辦？

脾氣是可以磨練的，而挫折是磨練脾氣最好的工具。股王巴菲特曾說：「出生時，含在嘴裡的金湯匙，若沒有自己謀生的本事，會變成插在背上的金匕首。」他兒子十八歲便出外自己謀生，因為專長是作曲，不容易找到工作。人在沒飯吃時，再小的工作都肯做，所以一個三十秒的音樂案他也接了，沒想到它是MTV的片頭音樂，這使他一砲而紅，工作不斷。他在拿到奧斯卡音樂獎時說，他有今天要感謝他父親當年的堅持。

人的學習潛力常在無退路時，展現出來。最近在報上看到一篇〈淡水憶蓄〉，作者說她母親大陸淪陷後，來到台灣，為了上市場買菜，馬上學會台語，又因為孩子多，必須做家庭副業來補貼，所以學會洋裁、繡花、打毛衣，把她們拉拔長大。

我母親也是一樣，我外公是福建的首席檢察官，她在家原是大小姐，但是來到台灣後，為生活所逼，也馬上學會台語，這樣家裡養的雞下的蛋才能拿到市場去賣，語言不通是做不了生意的。

其餘開門七件事媽媽都馬上學會，連包粽子、蒸年糕都去學，因為孩子要吃，外面買太貴。有一年，媽生病，叫我跟姐姐二人去蒸發糕，發糕一定要發到糕面成開口笑，不然祖母會罵，第一籠不知為何沒有發，我們嚇壞了，不敢說，逼著下面的妹妹把發糕吃掉，我們六人到現在都不吃發糕。

人是好逸惡勞的，能偷懶便偷懶，神經外科有句名言，「能坐就不要站，能躺就不要坐。」但同樣地，人也有求生的本能，沒有退路時，自然什麼都會做。最近我們高中同學聚餐，我發現當年出國留學的同學，個個燒得一手好菜，因為在六十年代的美國，中國餐館不多，要吃中國菜得自己燒，我們因此學會做豆腐、孵豆芽。所以趁年輕時多學一點是沒有關係的。

睡得飽又好，才能把事情做好

沒有深度睡眠對學習和記憶有害，沒有動眼睡眠對情緒有害。睡眠對人的身心都很重要，情緒的不穩定不亞於身體的疾病。

諺語是前人智慧的結晶，因此我們通常不會去質疑它，但是科學家就不一樣，因為科學的精神是追根究柢，他們會去想，這句話成立嗎？有支持的證據嗎？最近加州大學的神經學家就挑戰「時間療癒所有的創傷」這句話，因為如果是這樣，為什麼創傷後壓力症候群（PTSD）的病人並沒有因時間過去而減少創傷，還是一樣有恐怖的影像閃過他們的眼睛？後來實驗發現，原來病人必須在動眼睡眠（Rapid Eye Movement, REM）時，把白天發生的事拿出來整理，減輕創傷的情緒，時間才有療效。

人在作夢時，眼球會跳動，所以叫「動眼睡眠」，科學家發現在REM時，大腦會關掉主宰焦慮、戰或逃的正腎上腺素，因此創傷情緒的銳角就減低了很多。同時掌管理智的前額葉皮質被活化，使人可以在不焦慮的情況下，重新檢視這件事，悲傷的情緒被撫慰了，所以時間過去了，創傷的感覺就沒有那麼強烈了。PTSD的病人是因為他們平常大腦的正腎上腺素就很濃，到做夢時，仍有很多，所以阻止了撫慰作用，時間就沒有療效了。

有一種降高血壓藥的副作用是降低正腎上腺素，結果這些PTSD的病人在服用了這個藥後，晚上睡得比較好了，也不常有可怕的記憶閃過了。因此，只是睡沒有效，一定要睡得深，等動眼睡眠出來，把那個傷痕撫平，時間才有療效。

有個實驗是給大學生看一些強烈負面情緒的圖片，同時掃瞄他們的大腦。然後請他們十二小時後，再回來做同樣的實驗。一組是早上十點做，晚上十點再回來做，另一組是晚上十點做，第二天早上十點再回來做。二組都是間隔了十二小時，但第二組晚上睡了一覺。結果發現第二組的學生第二天早上再看同樣的恐怖圖片時，掌管負面情緒的杏仁核和掌管記憶的海馬迴活化得就少了很多。而第一組學生因為沒有睡覺，兩次活化的程度一樣強烈。

最近政黨在討論一例一休，從睡眠實驗來看，輪班中間只隔十一小時是不夠的，因為還要扣除路上交通時間。沒有深度睡眠對學習和記憶有害，沒有動眼睡眠對情緒有害。**睡眠對人的身心都很重要，在職場，情緒的不穩定不亞於身體的疾病，立法者不可不謹慎。**

戲言或惡作劇，應該適可而止

惡作劇不滑稽，是把快樂建立在別人的痛苦上，它更不人道，因為己所不欲勿施於人。它的代價有時更是你想不到的悲慘。

報載有個考上台大醫學系的學生在父親節那天，告訴父親，因為沒有繳志願登記費，所以沒有上榜，無校可讀。讓父親驚嚇不已，幸好沒有心臟病，不然喜事變悲劇。

我不知道為什麼有人喜歡惡作劇捉弄別人，歷史上因此而家破人亡的不知有多少。

北宋時，有個舉人赴京趕考，中了一甲第二名，高興之餘，寫信回家報喜，但不該在信末開玩笑，寫：「我在京中，早晚無人照管，已納一妾，專候夫人到京，共享榮華富貴。」他太太見了自然生氣，回信道：「我在家中也另嫁一小老公，早晚同赴京師。」結果這封信被來訪的同年看到，傳了出去，被參「行為不檢，不能為民表率」，所授的官職就沒了。其實這還是小事，更有戲言鬧出人命，「十五貫，戲言成巧禍」就是一例。

南宋有個落魄的秀才，無以為生，向鄰村老丈人借了十五貫錢想做生意，回程時，喝多了酒，回到家中，看到擔憂的女兒，便哄她說：「為父的將你賣與人為妾，喏喏，這裡便是賣身的十五貫錢。」倒頭便熟睡打呼去也。女兒見父親如此說，錢又在桌上，不免當真，悲從中來，決定逃走。半夜離去時，門虛掩沒有關緊（古代沒有彈簧鎖，門須從裡面用橫木擋住），有個潑皮正好經過，見門沒關便進來偷，不料秀才口渴醒來，一喊叫，被一刀砍死，出了命案。

他女兒走到天明時，見一收蠶絲帳的後生，揹著雨傘和包袱在趕路，兩人一前一後走，後生身上正好有收來的十五貫錢，這個巧合送了他們兩人的性命，因為糊塗縣官以「男女私情，殺父逃逸，十五貫為證」，判了斬刑，結果一句戲言，三條人命。**所以「勸君出話須誠實，口舌從來是禍根」，過頭飯可以吃，過頭話是不可以說的。**

在現代，也常見學生惡作劇，造成不可彌補的傷害。例如在上課，起立敬禮坐下時，把同學的椅子拉開，讓同學跌坐地上，腰椎受傷；更有學生把剪刀豎在椅子上，當同學敬禮坐下時，剪刀沒入直腸，從此靠人工肛門過一生。

惡作劇不滑稽，是把自己的快樂建立在別人的痛苦上，它更不人道，因為己所不欲勿施於人。它的代價有時是你想不到的悲慘，請不要鼓勵。

禮遇人才，方能留住人才

是人才，就不怕沒有飯吃，但是不能發揮自己所長是浪費生命。人才是寶不是寇，要禮遇，不可防禦。

一位自己出來創業的學生回來看我，說他做得很累，底下人都袖手旁觀，一點沒有團隊精神。這些員工都是他親自面試進來的，他不懂為什麼進公司才二、三年就沒有了鬥志。他嘆氣說：「每天時間都花在處理人事上，很痛苦，真是做人比做事難，做事又比念書難。」

我提醒他：「你當初會僱用他們，表示他們有長處，一個成功的老闆不是把自己放對地方，而是把員工放對地方。你要用他之長，避他之短，即使雞鳴狗盜之徒也有他的用處，因為滄浪之水清，可以洗頭，滄浪之水濁，可以洗腳，端看你怎麼用他。你也需要育人之才、激人之志。」

他說：「我曾用加薪的方式，可是效果不長，幾個月後，他們又故態復萌了。」

我知道他的問題了，我們都以為錢多才留得住人才，其實真正的人才不會為錢賣身，而是「士為知己者死」，你以國士待我，我以國士報之。研究發現，能**被老闆重用、自己的長處得以發揮、團隊的合作融洽是留才的主要因素，薪水只佔第四位而已。**

成功的人會用人，韓非子說：「下君盡己之力，中君盡人之力，上君盡人之智。」他不該做下君，自己拚命做，應該用別人之智，才會事半功倍。

做老闆的要像二次世界大戰，美國第七軍團的司令巴頓將軍（George Patton）那樣，使他的將士為他用命。曾有記者問他祕訣。他說：「我只告訴他們『讓我驚喜』（surprise me）。因為他們聽我的，那麼只有一種做法，但是我讓他們去做，一百個人就有一百個做法，其中一定有一個是最好的，任務自然就達成了。」

可惜的是，大部分的老闆都是事必躬親，不能放手讓底下的人去做。這樣久了，下面人就變成唯唯諾諾的執行者，而不是創意者了。人只有做自己想做的事才會有精神，如果只是聽老闆的，那就是把時間賣給老闆，換口飯吃，自然提不起勁來了。

他走後，我想到台灣這一波波的人才出走，政府雖然祭出出國報備和扣退休金方式，其實沒有用。是人才，就不怕沒有飯吃，但是不能發揮自己所長是浪費生命。看到報紙社論：寧可商人無祖國，不可祖國無商人，真是憂心忡忡，人才是寶不是寇，要禮遇，不可防禦。

讀寫能力決定國家競爭力

在時間就是金錢的現代，我們一定要訓練孩子說話的能力，因為說話是最快、最有效的溝通方式。

一位與我共同授課的老師問：「這次期中考可不可以不要出問答題？」我很猶豫，是非或選擇題可以亂猜，問答題比較能測出學生的程度，但是改卷子時的確很痛苦，學生不但答非所問，卷子上還有注音符號，因為不會寫那個字。

台灣現在國文程度的低落不只是學生，連老師也如此。我曾接過一封無頭無尾的信：「敬愛的洪老師，若您願意前來，某某基金會願意贊助高鐵票，希望您能考慮。」我回信：「請問您是誰？要我去哪裡？做些什麼事？」原來，他是某市輔導團的老師，想請我去演講。他說：「不知該如何啟齒，故說了些廢話，sorry。」令我啼笑皆非。若老師都如此了，如何苛責學生？

在二十一世紀，快速吸取訊息和正確表達自己意思的能力是競爭的基本條件。我們在這兩點都落後，最糟的是，連寫信的基本禮貌也不見了。前天收到南部某市教育局的演講邀請信，沒有抬頭和稱呼，直接寫道：「時間：某年某月某日，對象：全市公私立幼兒園園長，主題：幼兒發展。」下面寫承辦人員某某。我想他公務員做久了，只會用命令句，把人呼之來，喝之去，天下豈有用這種方式請人演講的？

聯合國經濟合作發展組織（OECD）說：「讀寫能力是二十一世紀知識社會的共同貨幣，它決定國家的競爭力。」假如我們的學生、老師和公務員的讀寫能力是如此，這就難怪我們的競爭力節節後退了。

在時間就是金錢的現代，我們一定要訓練孩子說話的能力，因為說話是最快、最有效的溝通方式。哈佛大學史諾教授（C. Snow）的研究發現：五歲時會說故事的孩子，四年級時，學業表現比較好，因為說故事用到組織能力、詞彙、想像力、和前後的連貫性，這些都是語文能力的指標。說故事的人不但要把故事內容忠實的傳遞出去，還要解釋故事內容、誰是好人誰是壞人，前者是記憶力，後者是自己的生活經驗，所以說故事是個很好的心智訓練。

澳門大學的教務長彭執中教授就是從每晚說故事給女兒聽中，矯正了他三十年的口吃的毛病；他女兒也從說故事給爸爸聽中，拿到演講比賽冠軍。我們大腦的神經迴路是愈用愈大條，通暢了，說話就流利了。

我們的國力已經衰退到政客謊言蓋不住的地步了，我們不能再不正視事實，要從現在起，加強國民聽說讀寫的能力，**在資訊爆炸的時代，一定要快速地吸取訊息，再轉換成自己的意見表達出去，才能與別人一爭長短。**

讓孩子從小，藉由古籍學會做人之道

一個國家的未來取決於國家的孩子年幼時所讀的書，這些書會內化成他對國家民族的認同、生命的意義、人生的目的和未來的希望。

朋友對這次課綱微調時，教育部的態度很不諒解，他說文化是孩子自我認同的源頭，也是一個國家立國的根本，白話文可以自己看，文言文卻需要有人教，因為裡面有很多歷史典故，而這些典故正是讓孩子知道什麼是萬古流芳，什麼是遺臭萬年。他來信請我給他二篇我認為值得讀的古文，他要親自來教孩子。

接到他的信時，我正在澳洲開會，手邊沒有《古文觀止》，但腦海裡立刻浮出二篇文章來，一篇是全祖望的〈梅花嶺記〉，另一篇是張溥的〈五人墓碑記〉。前者來自我父親，後者來自我母親的教誨。

我念小學五年級時，有一天，有人打電話來，口齒不清地說：「要找馮先生。」我說我這裡姓洪，不姓馮，因為歷史課正好講到明末清初，我就順口說，就是洪承疇的洪，我父親在旁邊聽到了大怒，罰我跪，叫我看全祖望的〈梅花嶺記〉，背會才准起來。以往父親叫我面壁思過，我都在思別人的過，只有這次，我深切後悔自己的無知，怎麼把祖先洪邁的清名和漢奸洪承疇搞在一起了呢？

〈梅花嶺記〉是一篇非常動人的好文章，因為感動，所以很快背會，至今沒有忘記。文中說史可法死後葬梅花嶺上，因為梅花如雪，芳香不染。但是那只是個衣冠塚，因屍骸已經找不到了。民間老百姓不捨史可法為忠義而身首異處，便傳說城破時，有人看見他青衣烏帽，騎白馬出城投江而死，跟當年民間傳說　真卿兵解、文天祥蟬脫一樣。老百姓心中自有一把尺，不是當權者可以愚弄的。

文中還講到孫兆奎起兵抗清，兵敗被執後，被帶到洪承疇帳中。他與洪為舊識，洪就問：「先生在兵間，審知故揚州閣部史公果死耶？抑未死耶？」孫兆奎回答說：「經略從北來，審知故松山殉難督師洪公果死耶？抑未死耶？」

這真是回答的好，大大地諷刺了背主投降的洪承疇。洪承疇果然大恚，急呼麾下推出斬之。孫兆奎也是了不起，不因舊識哀求活命，這就是士的精神，讀書人的骨氣，知識分子的風範。不讀〈梅花嶺記〉怎麼知道什麼叫節操？什麼叫不朽？

〈五人墓碑記〉是說明末魏忠賢捕殺東林黨的周順昌，蘇州老百姓不滿周順昌被捉，發生暴動，江蘇巡撫毛一鷺嚇得躲到茅坑裡避難。事平後，他要懲兇，不然屠城，有五個人便自動出來頂罪受戮。三個士紳感於他們的義氣，各出五十金買他們的頭顱和屍體一起埋葬。

我母親要我們讀這篇文章的目的是任何人都可以是流芳百世的人，這五個人其實是市井小民，沒讀過什麼書，但做的事長留老百姓心中。魏忠賢倒後，蘇州人刨掉毛一鷺為魏忠賢設立的生祠，把這五個人遷葬到生祠原址上，並立石碑旌其所為。母親說，**死有重於泰山，輕於鴻毛，人一生一定要做一點對他人有益的事，才不會辜負大地生萬物來養你。**

這兩篇文章要在孩子小的時候給他讀，普立茲獎得主詹姆士・米契納（James Michener）說得對，一個國家的未來取決於這個國家的孩子年幼時所讀的書，這些書會內化成他對國家民族的認同、生命的意義、人生的目的和未來的希望。它必須早早教，才不會有第二個洪承疇和毛一鷺出現。

第五單元

活用你的大腦思考力，才能打造不失敗人生

孩子不急著開竅，懂得學習更重要，對疑問給予正確回答，啟發孩子的創意；環境可以改變心態，而心態可以影響他人。長期依賴科技，心智變會怠惰，多活用大腦，可以預防阿茲海默症。

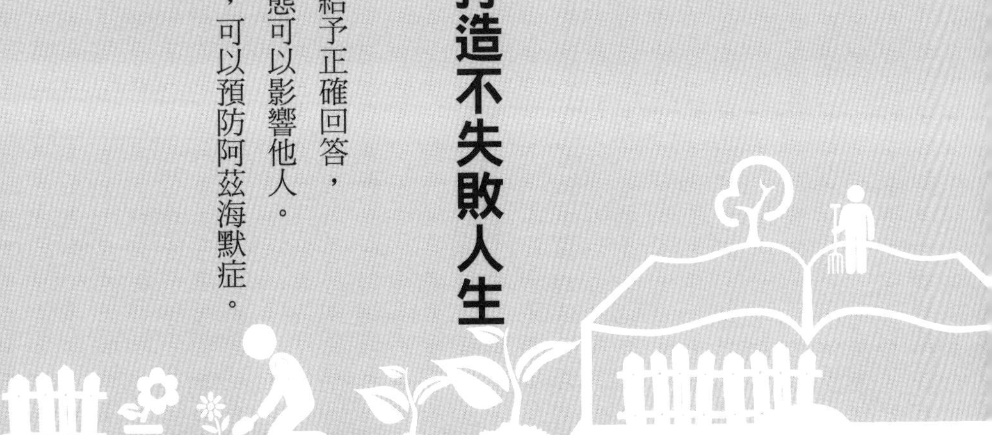

多活用大腦，可以預防阿茲海默症

老人家要盡量和別人互動、上學去學新的語言、動手做事。因為人在說話時，整個大腦都活化起來。

在研討會上，驚聞羅賓威廉斯因得了路易體（Lewy-body）失智症而自殺。我無暇看影劇新聞，竟不知道他已經去世三年了，不勝唏噓，他的《春風化雨》是我每學期都會放給學生看的一部好片子。

路易體失智症是僅次於阿茲海默症的第二號殺手，想到這個病後期的症狀，就了解他為什麼會在衣櫥中，用皮帶上吊了。

對於阿茲海默症，在投入幾億的研究經費之後，我們還在爭論它的病因。因為不知道原因，就找不到治療法，只能看著它肆虐，束手無策。但是現在有一點點的曙光出現了。

一九八六年，研究者想要找一群生活規律、不抽煙、不喝酒、不吸毒的人來作阿茲海默症的控制組。什麼人的生活會這麼單純呢？想來想去，就想到了修道院。於是聖母教會的六百七十八名修女就簽了同意書，死後捐出大腦來做研究。

三十年後，她們都過世了，在解剖大腦時，研究者發現那些看起來很健康、充滿活力的修女，她們的大腦竟然是典型的阿茲海默症腦。探討這些大腦有病而行為沒有病症的修女和別的修女之間的不同時，研究者發現，她們都很樂觀進取、生命有目標。心理因素可能是她們不顯病症的原因之一。

因此，平日多用腦，維持神經細胞功能的「認知儲備」可能有幫助。老人家要盡量和別人互動、上學去學新的語言、動手做事。因為人在說話時，整個大腦都活化起來；學新語言則動用到「處理速度」（processing speed），這是偵察目標出現，分辨兩個目標先後出現的速度，是屬於基本的認知功能，訓練它可以延緩工作記憶和執行功能的退化。

另外，睡眠很重要，睡得好，大腦在工作時，所產生的廢物才能在深度睡眠時清出（晚上的功效是白天的十倍）。**深度睡眠也是身體修補細胞損傷的時候。**許多老人有吃安眠藥的習慣，其實安眠藥會減少深度睡眠，不如白天多勞動，累了，晚上自然熟睡。過去孝順父母是買大電視給老人家看，現在知道看電視是被動的接受資訊，對大腦沒好處。

對這個世紀的殺手，只有盡人事，聽天命，因為自己嚇自己會嚇出病來的。但是不管它發生的原因是什麼，都應該增強自己的免疫力，至少可以減少未來長照的機會。

拒絕加工、黑心食品，才能保護孩子的大腦

黑心食品充斥市場，令父母很不安心，生怕讓孩子吃下不好的東西。父母不必如此焦慮，大人的情緒會影響孩子。

一般來說，天然的食物都比較不會傷害大腦，但是人工合成的化學物質對人體比較有害，例如目前市面上大量使用的塑化劑（鄰苯二甲酸脂鹽類，DEHP），對孩子的大腦發展就很不好。現在大家很習慣飲用寶特瓶裝的礦泉水，其實這些寶特瓶在陽光暴晒或高溫下會溶解出DEHP等不好的化學物質來，對肝、心、腎都不好。

十年前，美國醫生薩克斯（Leonard Sax）寫過一本《浮萍男孩》（*Boys Adrift*，遠流出版）和《棉花糖女孩》（*Girls on The Edge*，遠流出版），來追究為什麼現代自閉和過動的兒童這麼多。他發現其中一個原因就是現代人大量使用塑膠容器，當孩子長期暴露在塑化劑的環境中時，生殖系統會受損，使孩子性早熟，女生的初經提前、男孩成年後精子短少，造成不孕症。研究也發現孩子的氣喘與過敏和塑化劑有關。所以父母盡量不要用塑膠袋去裝熱湯、熱麵，不要用免洗的筷子和保麗龍的盤碗。研究發現，塑膠飯盒加熱後，食物中的塑化劑會增加三倍。

美國食物和藥品管制局（Food and Drug Administration, FDA）規定每個人每天塑化劑的最大值為每公斤二十微克，台灣是三十三點四微克，因此我的實驗室是不准用任何免洗餐具的。開學時，每個學生發一個不銹鋼的保溫瓶裝熱水，因為滾燙的咖啡或茶會溶解紙杯中的化學物質，筷子、碗、湯匙都自備。又因為DEHP是很好的溶劑和膠合劑，所以會用在香水、化妝品和保養品中作為定香劑，使香味持久，所以很香的東西也要少接觸。

至於給孩子吃什麼對他大腦會有幫助，這個問題的答案跟前面一樣，凡是天然的食物都沒問題，化學合成的補品少吃。均衡的食物，尤其是含有豐富蛋白質的食物，對正在發育中的孩子很好，因為細胞的成長需要蛋白質，只要是蛋白質，不論植物性和動物性的一樣好。脂肪也是不可缺的，因為大腦中的細胞膜是脂肪，神經纖維外面包的髓鞘也是脂肪，脂肪是個載體，運送細胞所需要的營養至大腦。二歲以前的幼兒不可以喝無脂牛奶，這會影響他大腦的發育。現在黑心的食品充斥市場，令父母很不安心，生怕自己一時疏忽，讓孩子吃下去什麼不好的東西，害了他的大腦，變成智障，讓自己後悔一輩子。其實父母不必如此焦慮，因為大人的情緒會影響孩子。

對於黑心商人，消費者唯一有效的抵抗方式就是不買，所以父母不要因便宜去買來路不明的食品。食品和食物的差別是食物是天然的，食品是加工過的，所以豬肉是食物，香腸是食品，大部分的零食都是加工過的，盡量少吃，食物愈自然，對孩子愈好，教導孩子正確的選擇食物的方式：吃米，但不吃米糕；吃麵粉，但不吃蛋糕；吃水果但不吃蜜餞；盡量在家中自己做飯而不去店中買飯盒；在飲料方面，白開水是最好的飲料，從小養成喝白開水的孩子長大後不易肥胖，也不受到糖精、香精的殘害，孩子小，這部分有賴父母把關，這些觀念植入孩子大腦後，他一輩子受用不盡，所以**建議父母用正向的態度來對待食安，保護孩子但不要使孩子對食物產生恐懼。**

長期依賴科技，心智會變怠惰

科技固然很好，但它的目的不是取代大腦，而是節省時間和體力來提昇人類的精神文明，使人類的未來更好。

我搭同事的便車去學校參加一個紀念晚會，我看到他一上車，就伸手去打開導航系統，便很驚訝地問他：「你在這學校教了十年書，難道還需要導航才找得到學校嗎？」他說：「科技就是要給人用的，開導航，不必用大腦，可以節省大腦能源。」我馬上想到蘇格拉底的那句話：「字母使人的心智怠惰，字母發明後，人便不再記東西了，轉靠書寫來幫助記憶。」

科技固然很好，但它的目的應該不是取代大腦，而是節省下時間和體力來提昇人類的精神文明，使人類的未來更好。

人的大腦是用進廢退的，英國有一個很好實驗，讓我們看到動腦和不動腦的差別：這個實驗是用核磁共振去掃瞄倫敦的計程車司機和公共汽車司機的大腦。他們雖然都是開了四十五年的司機，但是一個要依客人的指示，動腦找出要去的方位和地點，而另一個只能按照公車既定的路線駕駛，不可以任意改變。倫敦街道是很不規則的，非大量動腦不可，因為它原是泰吾士河旁的小村莊，因需求而逐漸擴大，因此街道沒有經過規劃，很像諸葛亮的八陣圖，路不熟的人進去會出不來的。這兩者在管記憶的海馬迴後端差了很多，計程車司機是顯著得大。

我告訴他這個實驗，問他：「你不怕以後大腦的神經迴路會退化掉嗎？」他說不怕，「我用這空間去學新的東西。」

這是個錯誤觀念，**長期記憶是無限大的，大腦並不會記憶的空間滿了，存不下了，而不能學新的東西**。柯南道爾在寫《福爾摩斯》時，講了一句錯誤的話，誤導了很多讀者。在書中，福爾摩斯跟華生說，他要馬上把華生剛剛告訴他的天文知識忘掉，以免佔據大腦有用的空間。我們到現在還不曾看過哪一個人因記太多而學不進去，只看到學愈多，學習愈容易。倒是什麼都依靠機器，有一天沒有機器時，便不會生活了，因為依賴別人最大的問題是受制於人。

曾有朋友在美國頂下一個餐廳，邀我入股。我父親說不可以，凡事要操之在己，你不會廚藝，便不可以入股。果然，他的大師傅在客人滿座時，提出加薪入股的要求，他不答應，大師傅便把圍裙一脫，揚長而去。他受此刺激後，自己拜師學藝，隨時西裝一脫，圍裙一穿，下去掌廚。他現在很成功，在美國有連鎖店。

人無法什麼都會，但是跟生活有關或跟自己本行有關的，要盡量會，台灣最近一次大停電，銀行不能存錢、售貨員不能結帳，萬事停擺，這兩件事手動也可以的。

回程時，朋友因喝了一點酒，就由我來開車。他一上車，故態復萌，又要替我設導航。我說不必，難道我不認得回家的路嗎？他不好意思的說，他其實回家也用導航，他已經習慣了依賴導航，如果沒有它，他的確不會回家了。

唉！有朝一日，機器人控制了人，不是它們太厲害，而是人太懶惰，自己把主控權交出去了。

孩子不急著開竅，懂得學習更重要

孩子開竅的早晚不一樣，人是終身學習，沒有輸在起跑點這回事。在學校的功課再怎麼好，沒有自主學習的動機，還是會被淘汰。

朋友的孩子生在九月六日，我們的學制是九月一日以後出生的孩子要下一年度才能入學。但是，最近我很驚訝地看到她的孩子穿上某小學的制服，她得意的說她把孩子的戶口遷到偏鄉，現在少子化嚴重，學校只要有學生願意來，不會去追究年齡。孩子讀了一個月後，再把戶藉遷回台北，這樣她的孩子便早一年入學。

我聽了很替她孩子擔心，早入學對孩子有百害而無一利，完全是父母的虛榮心在作祟。別人年頭生，他年尾生，在小的時候，差幾個月就差很多：個頭小，容易被別人欺負，年齡小，有些事還做不來，如膀胱的控制，上學會變成恐懼的事，對孩子的心理非常不好。

其實早入學並不代表孩子聰明，聰明也不等於成功。現今已知大腦的成熟度會影響孩子的學業表現，若是大腦對某項作業的能力尚未成熟，孩子即使很努力，也表現不佳，這會使他喪失學習信心，產生自卑感。

美國賓州大學的心理學博士，也是家醫科醫生，薩克斯（L. Sax）醫生一再勸父母不要讓孩子提早入學，他說小男生手臂的小肌肉成熟比女生慢，過去幼兒園不教寫字，現在幼兒園在教小學一年級的功課了，女生已可將字寫在格子內，男生卻連筆都還握不穩，老師知道這是發展上的原因，會叫男生去外面玩。可是孩子都很敏感，馬上知道自己不如人家，人家可以做，自己還不能，會產生挫折。尤其這個年齡的孩子不懂得什麼叫同理心，常會譏笑同學笨或白痴。男生都不喜歡被人嘲笑，尤其被女生，孩子就開始厭惡上學了。若是小學就厭惡上學，他以後漫長的二十年學校教育要怎麼挨過去呢？

每個孩子開竅的早晚不一樣，人是終身學習，完全沒有輸在起跑點這回事，尤其現在科技進步的這麼快，孩子離開學校，出來就業時的科技根本還未發明，他在學校的功課再怎麼好，沒有自主學習的動機，出了校門反而會被淘汰。

心理學上有個名詞叫「burn out」，即對學習厭倦，常看到孩子在小的時候被父母送去學心算、才藝，在客人面前表演，贏得別人的讚美。這些孩子在小學一年級時表現仍然優秀，但老師已發現他們沒有自發性，老師怎麼交待，他們怎麼做，到四年級，其他同學開始自己去找問題時，他們仍在等待老師吩咐。又因為對學習厭倦，成績一路往下滑，應了「小時了了，大未必佳」這句話。

北歐的孩子是七歲入學，比我們晚，但是他們的成就並沒有比我們差。人生很長，現在五歲和六歲好像差很多，長大後，這個差異逐漸縮短，到八十五歲和八十六歲時，你不知道誰比較老，又何必趕著在大腦未成熟前，讓孩子去受挫折呢？

如果我們教育的目的是培養出可用的人才，那麼只要他有用，他是五歲進學還是六歲進學就一點關係也沒有。說實在話，他若是個人才，小時候即使留過級又有什麼關係？

迷信智商不如培養情商

其實情緒真的可以訓練，所謂情緒維持幾秒，心情維持一天，性情終身打造，所以從情緒著手，改變心情，最後穩定成性情。

一九三八年，哈佛大學開始了一個歷史上最久的成人性向、人格和智商的研究，這計畫一直進行到二〇一三年，七十五年後，由第四代主持人，七十八歲的維倫特（Vaillant）教授把它寫成書發表。因為它歷經第二次世界大戰、越戰等美國社會的大變遷，所以資料很珍貴，可惜當時哈佛只收男生，不收女生，是一大遺憾。參加的人都是當時的精英，包括美國總統甘迺迪在內。這份調查所顯示出的人生，現在讀起來分外有意義。

這個研究發現基因沒有我們想像的重要，智商一旦超過一百二十之後，就和智商一百五十的人沒有什麼差別。也就是說，只要智力正常，後天的成就在於個人。成功的人不是最聰明的人，卻是最有毅力的人。在台灣，很多家長迷信智商，常焦急的問：「有沒有什麼方法使我的孩子更聰明一點？」嬰兒奶粉也大打廣告，宣稱吃了這個牌子的奶粉會成為天才。其實**智慧是基因和環境互動的產物，聰明如哈佛的畢業生，也有一事無成的**。

萬一小時候家境不好、要靠獎學金半工半讀完成學業的人，老年時，生活反而幸福，因為逆境鍛練出毅力和感恩。曾有一個研究問：「最能帶來快樂的是——？」答案是「失而復得的東西」。只有得來不易或失而復得時，人們才懂得珍惜和感恩。

研究又發現八十歲以後的健康跟他們五十歲以前的生活習慣有關，跟父母是否長壽的關係只有百分之二十。原來最重要的因素是社交活動和人際關係。有好朋友定期聚餐、打球、有和諧的婚姻和親密的家庭關係的人會活的最長最健康。

研究同時還發現，在感情上得分最高的前五十八名參與者，他們的薪水比得分最低的三十一個人平均高出一萬四千美金，而且事業成功率高了三倍。這是因為情緒（包括自我控制）是事業和人際關係成功的必要條件，諾貝爾經濟獎得主赫克曼（James Heckman）在一九七〇年追蹤一萬七千名嬰兒到他們三十八歲，結果也是發現自我控制是這些人成年後，決定生命滿意度最高的三個因素之一（另外二個是品格和毅力）。

最近的研究更發現創造力跟情緒有直接的關係，人在心情好的時候，新點子會源源不斷地湧出，而愁眉不展時只會怨天由人。尤其二十一世紀是個團隊合作的世紀，職場留不留得住人才的頭三個原因是：得不得到老闆的重視、自己的能力能不能發揮出來、團隊和不和諧。我們以為最重要的薪水其實才排在第四位。所以人際關係好，在職場容易被升遷，升遷，自然薪水就高了。

我在念博士時，我的指導教授在打離婚官司，他每天來學校都一付臭臉，我們動輒得咎，大家都敬鬼神而遠之。不久，一個同學受不了就轉學到 UCLA 去念了，後來他成為哈佛大學的教授。因為研究生的成就是算指導教授的功績，我不知道老師後來有沒有後悔當時罵學生，但是我發現他在打完官司後，其實是個很好的人。所以這個研究發現情緒跟事業有相關，是一點也不驚奇的。

這也讓我們知道教育孩子要像《顏氏家訓》說的，「教婦初來，教兒嬰孩」，從小要教他學會控制自己的情緒。神經迴路是愈用愈大條，愈發脾氣愈容易更發脾氣。其實情緒真的可以訓練，所謂情緒維持幾秒，心情維持一天，性情終身打造，所以從情緒著手，改變心情，最後穩定成性情。

最後，「**童年幸福的回憶是一生能量的來源**」這句話過了七十五年不動如磐石，這個幸福不是指物質，而是指精神上的安全感。父母給孩子最好的禮物是一個溫暖的家。家是我們一生精神的支柱，不管東方和西方，只要是人，都需要一個安全的避風港，原來人生的真諦在「愛」這個字上。

除了反思，更必須懂得改進

沒有時間去深度思考，常覺自己像個機器人，
每天不停地在做，卻不知道自己在做什麼。

一位去以色列作博士後研究的學生回台灣來過年，依慣例，他回到實驗室來做個報告。他說他最震撼的是每個人要不停地去思考他為什麼要做這個研究。在國內，只要說：「我對這個題目有興趣、想做做看。」就可以了，但是在以色列就不行，你一定得說服別人為什麼這個實驗值得用納稅人的錢去做。一開始時，他覺得這是小題大作，在台灣，幾十億新台幣的大工程都是首長拍板就定案，沒人敢吭聲。後來發現，假如能確實落實這個態度，就不會有蚊子館出現了。

他們每個星期都有反思會，檢討實驗為什麼不成功，如果成功，也要檢討可不可以更好一點。初時，他以台灣的方法去應付：「對不起，實驗失敗了，但是不是我不用心，是因為一些不可控制的外力因素。」最後還加上一句：「我相信下次會更好。」他以為老師會讚許他的正向態度，沒想到，老師馬上追問：「你如果沒有找到錯誤的地方，下次做還是會錯。用同樣的方法去做同一件事，卻妄想得到不同的結果，這是什麼人？」同學都爆笑起來，是的，這種人是瘋子。老師逼他去追究為什麼失敗，有什麼方法可以避開。

他在台灣時，每天騎機車去上學，在路上見縫就鑽，因此必須全神貫注，這很耗神，到學校時，還沒開始工作就累了。也因為沒有時間去深度思考，常覺自己像個機器人，每天不停地在做，卻不知道自己在做什麼。現在他每天走路去實驗室，利用這時間來思考。走路時，為了不撞到騎自行車和推嬰兒車的人，他必須分散注意力，這會使大腦進入「預設模式網絡」（default mode network, DMN）狀態，環境中的訊息很容易使他產生各種聯想力，而聯想力就是創造力的根本。過去說，忙到沒有時間思考是藉口。

實驗室的儀器因為廠牌不同，開關的位置不同，那天，他摸來摸去找不到開關，但不敢問，怕別人笑，後來才知道這台儀器的開關在底部，必須用手伸下去開。他因為找不到開關，耽誤了下一個使用人的時間，老師說：「問一下，你是五分鐘的傻瓜，不問，你是一輩子的傻瓜。」他在短短二週之內，學會了實事求是、追根究柢的科學精神。

他臨行前，寫了封長信給我，在信尾問：「為什麼台灣會允許在地震斷層上蓋旅館和高樓？政府若不改掉出了事，官員鞠個躬、道個歉就沒事的態度，災難還會再發生。事情不會因道歉而解決，必須切實去找出原因。」

我想了想，台灣果然每一次災難發生時，都是一排官員在記者會上鞠躬道歉，然後就沒有了下文。若再追問，就說：「我都道歉了，你還要怎樣？」當首長拍胸脯說「我負責」時，我們沒有看到他負了什麼責任，只看到因為不反思，錯誤持續發生，最後還是全民買單。

做學問和做事情的道理是一樣的，以色列在短短的幾十年間，成了國際不敢蔑視的國家，除了做事的態度，我們沒有差他們什麼，以色列能，我們怎麼不能呢？

培養孩子對顏色的敏銳度，從多看多走開始

孩子對顏色不需啟蒙，天生就會，多去大自然中走走，他對顏色就會很敏感，小時候看到的顏色會使他長大後對那些顏色也很喜歡。

嬰兒只要不是色盲，一生下來便看得見顏色。有個實驗的做法是先給嬰兒看一種顏色，嘴裡給他含個奶嘴，奶嘴後面有電線連到電腦，記錄他吸吮的次數。當他初看到這個顏色時，他會因新奇而專注去看，吸吮的次數會高，不久以後，他便習慣了、厭倦了，他吸吮的次數會降下來。當降到基準線後，實驗者就換另外一種顏色給他看，他若分辯得出兩者的不同，新奇感會使吸吮率再度高升；他若分辨不出來，吸吮率就保持在低的狀態。發展心理學家用這個方式測知嬰兒對

顏色的區辨力。

嬰兒眼睛視網膜上有兩種感受體，一種叫錐細胞（cone），一種叫桿細胞（rod），前者處理顏色和細節，集中在中央小窩的附近，後者處理黑白和輪廓，在週邊的地方。這些細胞在嬰兒出生時就已經有功能了，所以嬰兒一出生就能看得見顏色。

至於嬰兒對顏色的偏好跟他童年的經驗有關，愈熟悉的顏色愈喜歡。美國曾有個受虐兒，她被父母關在衣櫥裡長大，到十三歲才被救出來。她對黑色塑膠袋有偏好，那是她母親給她墊在衣櫥裡、怕把地板弄髒的垃圾袋。她因從小只接觸過這個，所以對它有偏好。

在研究上沒有支持顏色跟心理或生理健康的證據，也跟他的人格成長無關。大約六十年前，日本有一部電影在台灣很紅，它講一個行為叛逆，有情緒障礙的小男孩畫圖只用黑色，因二次世界大戰後，日本滿目瘡痍，加上這孩子缺少父母關愛，所以他看出去的世界都是黑的，畫的圖也是黑的，一般人是認為黑色代表邪惡、絕望、污穢，所以這部電影上映後，很多老師都叫父母帶不聽話的小孩去看，要找出孩子叛逆的原因。我小學班上有個同學也被老師寫條子叫他母親帶他去看這部電影。但是他父親早逝，家境窮苦，如果飯都吃不飽，哪有閒錢看電影？所以他就沒去看，老師還叫大家捐錢讓他去看。後來他告訴我，他無錢買蠟筆，唯一的一支蠟筆是黑色的，所以他畫什麼都是黑的，他從來沒有什麼自卑感，連自卑是什麼意思也不知道。由這個例子，父母就可以想像得到，坊間那些顏色預測性格是多麼的無稽之談了。

一般來說，嬰兒喜歡鮮豔的亮色，因為它投射到視網膜的能量強，會吸引孩子的注意。亮色同時代表活力，例如春天鳥語花香，萬物生長，五彩繽紛的亮色世界使孩子的視覺世界充滿了刺激，他會喜歡。孩子是誠實的，他不會做假，他會畫他所看到的世界，災難後的世界是灰暗的，他自然用暗色。我們發現，不論哪個國家，地震後孩子畫出來的顏色都較陰暗。

孩子對顏色不需啟蒙，他天生就會，只要多帶他去大自然中走走，他對各種顏色就會很敏感，小時候看到的顏色會使他長大後對那些顏色也很喜歡，快樂的童年因此會有快樂的人生。

情緒操之在己，也是認知對情境的解釋

人要學會不抱怨，下雨了，就把傘打開，不要浪費時間抱怨。因為雨已經下下來了，抱怨也沒有用了。

大清早，一個學生到我辦公室來抱怨有人害她生氣，讓她晚上沒睡好。我問她：「怎麼是別人害你生氣？我們上課不是講到，情緒是操控在自己手上的嗎？是你害你自己不快樂，別人不能啊！」她低頭想了一想，點點頭，出去了。不一會，又一個學生進來，說同樣的話。原來她們兩人昨天吵架，晚上沒睡好，都來解釋為什麼早上遲到，令我啼笑皆非，人喜歡責怪別人，不肯低頭反省自己。

情緒的確是控制在自己手中的，有個實驗是徵求大學生到心理系來做維他命A對視力的幫助。海報上講明要打一針維他命A，因為打針是侵入性，所以給雙倍的酬勞。

重賞之下必有勇夫，學生還是會來。打針時，針管上貼著「維他命A」，這是「此地無銀三百兩」，上面貼維他命A，裡面就不是維他命A，是腎上腺素，是大腦在緊急「戰或逃」時，所分泌的荷爾蒙，它會使瞳孔放大、手心出冷汗、心跳加快（把帶氧的血液送到四肢）、膀胱失禁（水很重，逃命時，把不要的水放掉，跑得比較快）。注射完後，實驗者告訴受試者到休息室去等待維他命A產生作用。走廊上有二間休息室，一間裡面有個假的受試者，是研究生假扮的，在那裡很興奮地說：「我今天運氣真好，雖然挨了一針，可是等一下我有錢可以請女朋友去吃頓牛排大餐、看場電影，還可以剩一點錢，給她買個小禮物。」另一間裡面也是一個假的受試者，在那裡暴跳如雷說：「怎麼搞的，我等了這麼久，還不叫我去做，他以為我的時間這麼不值錢，他以為這一點錢可以買我這麼多的時間。」

實驗者假裝檢查他們的視力，做完後，給他們酬勞、簽收據，等他們走到門邊時，才假裝忘記說：「等一下，我忘了問你，剛剛在休息室時，你的心情是怎麼樣的，這裡有一張情緒的量表，請你幫我填一下。」因為錢已經拿到，要走了，受試者就完全沒有想到，這才是做這個實驗真正的目的。這時，他們會把腎上腺素所引起的生理反應，因為同室的人很高興，解釋成：我興奮到手心出冷汗、我興奮到心跳加快；另一房間的人把同樣的生理反應解釋成：我憤怒到手心出冷汗、我憤怒到心跳加快。

所以情緒是認知對情境的解釋，就好像在一個雞尾酒會裡，你突然聽到有人在講你的壞話，你馬上回頭去看，什麼人這麼大膽。一看是你的老闆，這時，你會假裝沒聽到，悄悄走開；但是假如一看是你的下屬，你的反應馬上不同，你會走上前去說：「明天到我的辦公室來。」所以情緒是你對當時情境的解釋。

那麼，為什麼操之在己呢？因為神經迴路用的愈多會愈大條，臨界點愈低，愈容易被活化起來。你若不動氣，它就不會被活化，所以情緒是控制在你自己手上。實驗者給打坐一萬小時以上的大師聽炮彈聲、嬰兒婦孺的哭叫聲，同時掃瞄他們的大腦。結果發現他們的聽覺皮質有活化，表示他們有聽見，但是管情緒的杏仁核及管理智決策的前額葉皮質都沒有活化，表示他們可以把情緒放一邊不去理它。所以沒人使你不快樂，是你自己使你不快樂。

凡事要操之在己，也要懂得放下。丹麥的哲學家齊克果說：「生命只有走過才能了解，往前看才活得下去。」形塑我們的不是經驗而是回應經驗的方式。人要學會不抱怨，下雨了，就把傘打開，不要浪費時間去說：「為什麼下雨？明知道我沒有帶傘。」因為雨已經下下來了，抱怨也沒有用了。

了解這個實驗，人生可以平順很多，知識的確是力量。

發展中的大腦需要充足的睡眠

對發展中的大腦來說，作夢時的動眼睡眠（RAM）是神經建立突觸連接的時候。研究發現自閉症孩子的RAM睡眠比正常兒童少了百分之三十。

深夜去同事家送一份第二天要截止的申請案，看到她念小二的兒子還在寫功課。同事皺著眉頭說：「沒有辦法，這孩子做事很慢，每天都要拖到十一點多鐘才能做完功課去睡，早上都叫不起來。老師說他上課不專心，可能有注意力缺失過動症（ADHD），叫我帶去給醫生看，我因在趕這個案子，還無暇顧到他。」

從她家告辭出來後，這孩子伏案寫字的身影一直在我心頭縈繞。他若這麼晚睡，睡眠一定不足，而深度睡眠（deep sleep）是大腦補充神經傳導物質，如多巴胺、血清素的時候，睡不夠會使他大腦運作的能量不足，動作就會遲緩，上課精神不能集中，這的確跟ADHD的症狀相似。最近加州大學的神經學家發現很多被認為是ADHD的孩子其實僅是缺少深度睡眠，當孩子睡飽後，那些症狀自然就消失了。

目前醫生開給ADHD孩子的藥物，如利他能（Ritalin）或阿迪羅（Adderall）都是興奮劑，因為他們是大腦活化的不足，而不是一般人以為的太過興奮。阿迪羅其實是安非他命，如果販賣安非他命是非法，我們怎麼可以隨便就給孩子吃阿迪羅呢？現已有研究者出來呼籲，在給孩子開藥前，先問他的睡眠夠不夠，在排除睡眠因素後，才考慮開藥。

睡眠對孩子的學習很重要，「頭懸梁、錐刺骨」沒有實驗證據支持。與其在書桌上硬撐，不如先去睡，第二天早上早一點起床，趁精神好時，把功課做完。

不過人並非要睡就睡得著，人類的睡眠受到生理時鐘（circadian）的控制，而這個生理時鐘會隨著年齡而改變，九歲孩子的褪黑激素大約在晚上九點鐘左右大量湧現；但是到十六歲時，褪黑激素要到半夜十二點才到高峰，所以大部分的青少年都睡眠不足。因為缺少深度睡眠會降低孩子的免疫力（少於三個小時，免疫力降低百分之五十），美國有好幾州已把上課時間延後，使學生可以多睡一點。

對發展中的大腦來說，作夢時的動眼睡眠（Rapid Eye Movement, RAM）是神經建立突觸連接的時候。研究發現自閉症孩子的RAM睡眠比正常兒童少了百分之三十。初生小鼠若阻止牠們RAM睡眠，牠們神經的連接會不正常，有些部分連得很密，有些很稀疏。牠們有社交退縮的現象，長大後會孤獨不合群。

既然**睡飽了，孩子的學習才會有效**，或許台灣也可以延後一點上學，讓孩子多睡一點。孩子去上學的目的是為了學習，不可為手段（父母送完孩子後才能去上班）而犧牲目的。若是學習效果不彰，即使每天準時到校又有什麼意義呢？

菸酒會造成孩子有反社會人格

吸菸對胎兒會造成傷害，一氧化碳和尼古丁都是毒，都一樣會傷害胎兒大腦，所以這些孩子常有反社會人格。

做老師最得意的是得天下之英才而教育之，教出超越自己的學生；最遺憾的是學生不聽教誨，只能眼睜睜地看著學生毀掉大好前程而無能為力。我的同事在一個學生身上兩者都碰到。

二十年前，他有一個得意門生，容貌好、品學兼優又敬業，別人都羨慕他衣缽有傳人。他也傾囊相授，極力栽培這個弟子。這個女學生和隔壁實驗室的男學生相戀，這本是郎才女貌，天作之合的一樁好事，不料，婚後女生懷孕時，男生劈腿同實驗室的學妹，這個女生知道後，一方面是論文的壓力，另一方面是感情背叛的傷痛，她染上了抽菸的惡習。

當時大腦研究已經知道香菸中的尼古丁會使血管收縮、減少母親子宮的血流量，從而減少胎兒大腦發育時所需要的氧和養分，使胎兒大腦發育不良。這些抽煙母親所生的孩子頭圍比較小、眼眶皮質和額葉內側迴較薄、神經細胞數量少，而這兩個地方特別與暴力行為有關。所以母親抽菸，孩子在二十二歲時的犯罪紀錄是不抽菸組的二倍，而且多半是累犯，重複的出入監獄。

同時，尼古丁也會干擾一個重要的神經傳導物質——正腎上腺素（norepinephrine）系統的發育。這個功能不彰會影響交感神經系統的發育，使孩子的心跳率低。研究發現監獄中的暴力犯都有心跳率低、恐懼制約的膚電反應（GSR）小的現象（這二者是暴力犯的生物指標）。又因為他們的交感神經發育不全，這些孩子比別人需要更多的刺激才能滿足他們感官的需求，他們愛冒險、做別人不敢做的事，而飆車族的少年都有大腦刺激不足的現象。

研究發現甚至連二手菸也不行，只要胎兒暴露在尼古丁中，一樣會導致上述的行為障礙，因為一氧化碳和尼古丁都是毒，都一樣會傷害胎兒大腦，所以這些孩子常有反社會人格。

我的同事看到他的學生這樣頹廢非常痛心，嚴厲告誡她吸菸對胎兒的傷害，可是當時她聽不進去，只想趕快拿到學位遠離傷心地，她不但吸菸還喝酒，用煙酒來麻醉自己。她畢業後便去南部教書，也不再跟任何人聯絡。

最近我的同事接到這個女學生來信，才知她的兒子在國三時，半夜跟同學偷騎機車，甚至飆車，在轉彎時來不及剎車，被拋飛出去而腦死。她決定把器官捐出來給有用的人，並把大腦捐出來解剖，才看到因為她喝酒，她兒子的胼胝體（連接兩個腦半球的百萬以上的纖維素）比別人小，影響了他左右腦訊息的溝通；又因為酒精會殺死大腦神經細胞，影響跟長期記憶有關的麩胺類神經傳導物質的功能，所以她孩子學習能力差、功課不好。又因愛冒險、喜歡飆車，斷送了年輕的生命。這位學生寫信來向老師道歉，懺悔當年沒有聽忠告。

同事看到信，老淚縱橫，可是已經來不及了。這是我們所有做老師的痛，今天把它寫出來，希望所有的人（父母和子女在內）都要知道菸酒不能碰，因為人生不能重來。

對疑問給予正確回答，啟發孩子的創意

大腦像個草原，一旦把正確的路走成徑，下次就會循著這條路走，因為大腦會尋找最省力的途徑，而已經形成的路最省力。

最近好幾位老師來問：管教孩子會扼殺他的創造力嗎？有家長認為「只有自由的心智才可能有創意出來」，所以採取放任教養的態度，結果孩子在教室隨意走動說話，干擾別人上課。

其實，創意跟紀律不是互斥，而是相輔相成。**紀律是所有學習之本，沒有紀律的孩子不能學習**。研究發現制約（conditioning）是基本的學習機制（幼兒和動物皆然），當刺激第一次出現時，我們要教孩子正確的反應。大腦像個草原，一旦把正確的路走成徑，它下次就會循著這條路走，因為大腦的資源不足，它會尋找最省力的途徑，而已經形成的路最省力。

若一開始沒有外在的控制，內在的控制不會產生，孩子是透過被人管理，才學會管理自己的。所以《顏氏家訓》說：「教婦初來，教兒嬰孩。」好習慣要從小養成，改一件做壞的衣服比買布重新做更辛苦。

創意心理學的研究發現一旦智商過門檻後，創造力和智商之間沒有相關。也就是說，智商在一百二十以上的孩子都是高創造力的人，但最後會不會成功，要看他的毅力。成功的人不是最有創意的人，卻是最有自我控制和毅力的人，再好的點子也要做出來才算數。

IBM前研發部主任戈莫里（Ralph Gomory）說美國創意的黃金時代是一九四五到一九七〇年，因為美國自從越戰以後，傳統的價值觀崩潰了，孩子不再尊重父母和老師，沒有紀律時，創意就消失了。最近一個研究也發現，美國學生這二十年來，在創意測驗（Torrance Test of Creative Thinking）上的表現每況愈下，因為美國社會幼稚化，不再重視傳統的正直、勤勉等價值觀。

創意除了多看、多問、多做之外，大人對問題的解釋也很重要。前幾天在報上看到台北市某官員的孩子在過馬路時問她：「為什麼紅綠燈給車子走九十幾秒，給行人只有二十幾秒？人走的比車子慢，為什麼給車子的時間反而多？」這是一個很好的問題，這孩子有觀察力，可以做科學家。可惜這位媽媽官員用「因為車子笨笨的」來回答。沒有給孩子正確的知識，也就失去了啟發他的機會。

其實她可以說：「馬路的寬度有限，車子大，不能像人一樣聚集在街口，等綠燈時一起過街。車子必須循序一輛一輛的通過，這需要時間，所以需給車子的時間要比較長。」

另一點是，用「笨」來解釋行為很不好，尤其車子沒有生命，無所謂智商。台灣的師長很喜歡罵孩子笨，這使孩子不敢去嘗試新的東西，這個怕挨罵的心態恐怕才是扼殺孩子創造力的因素吧！

語言的學習源自於模仿，多看多聽才能進步

台灣現在出路愈來愈窄，要突破這困境，從語文和國際知識努力。缺乏語言和常識，無法跟別人打成一片，生意也做不成。

在一個茶會裡，聽到美國一位成功的企業家在談他用人的經驗。他說他喜歡用中國人和印度人，因為中國人勤勉、耐操；印度人數學好、點子多。他個人喜歡用剛畢業的研究生，因為才交出論文，知識最先進，又因沒有職場經驗，所以加班不會抱怨。

他說今年他面試了三個剛拿到學位的新人，一個來自台灣，二個來自大陸。台灣的學生讀寫可以，聽和說不行，在面試時，他說的，台灣學生聽不懂，台灣

學生說的，他也聽不懂。雖然面試的題目台灣學生做的最好，但是現在團隊都要求溝通能力，所以他沒有錄用這個學生。

他本來以為大陸開放得晚，跟外面接觸得少，尤其這二個學生都是內陸大學的畢業生，英文能力應該不如我們。想不到這二個人的聽說卻都可以，一個甚至帶英國腔。他很好奇地問：「你的英文是怎麼學的？」他很驚訝發現，竟然是看電視學的。一個說他喜歡看美國的電視劇《紙牌屋》（*House of Card*），反覆地看；另一個說他喜歡英國BBC的《樓上樓下》也是反覆地看。他們在不知不覺中，把說英文的腔調學會了。

他反問我們：「台灣學生平常看什麼電視節目？」我家沒有電視，不敢答腔，旁邊的同事正好有念大學的孩子，就大聲說「韓劇」。大家都爆笑起來。

我突然發現，這可能是我們學生在聽、說上不如人的原因。**語言的學習本來就是模仿，電視劇演的是生活中的小事，所以用的詞彙不會艱深，它正是面試時會話的程度**。同時，人會盡力去模仿他喜歡的人，尤其是他崇拜的偶像，大腦中鏡像神經元的作用就是模仿。在演化上，跟別人一樣是種保護，因為槍打出頭鳥，鶴立雞群在大自然中是危險的。我記得剛進大學時，班上有僑生，但四年畢業時，已分不出僑生和本地生了。人在一個地方住久了，會被「同化」，舉止行為會跟周邊的人一樣，所以語言的學習最好是到說那個語言的環境去住一陣子，若不能，退而求其次，盡量去看錄影帶來模仿。

其實台灣的學生只要有心，非常容易接觸到英文節目，CNN 新聞甚至有英文字幕。只要把看韓劇、日劇的時間拿來看英文電視節目，在聽力上應該可以增強很多。早期我們學英文時，沒有電視，只有收音機，大家都是早晨聽英語廣播來自修的。

林之晨曾在《天下雜誌》中說，蔡政府的新南向很難成功，因為我們雖然有先進的數位經濟模式，但英文不好，無法和當地人溝通；同時，我們的歷史、地理課只聚焦在台灣本土上，對東協國家的文化經濟都沒有概念（我碰過學生不知道大部分的東協國家信回教，不吃豬肉），所以缺乏語言和常識，無法跟別人打成一片，生意也就做不成了。

台灣現在出路愈來愈窄，要突破這個困境，要趕快從語文和國際知識二個方面去努力。林之晨用的詞是「亡羊補牢」，可見急迫性，政府今天不做，怕會沒有明天了。

學習不分年齡，只要有方法、決心，就一定能成功

學習不分年紀、不在乎早晚，只要有信心、有方法、有決心，水到，渠自然就成了，因為大腦是可以改變的。

耶魯大學醫學院的教授，也是哈斯金實驗室的主任Ken Pugh最近來台灣演講，題目是「大腦與失讀症」（dyslexia），那天去聽的人很多，看到這麼多的父母層層圍著教授焦慮的問問題，真是覺得孩子生下來四肢健全、大腦正常，父母每天都要感恩（只要心存感恩，就不會因為他考不好而出手打他了）。

失讀症有基因上的關係，跟染色體二、三、六、十五、十八有關，因此有遺傳性，但嚴重程度依所牽涉到的基因數量多寡而不同，腦造影圖顯示失讀症者在

閱讀時，大腦活化的區域跟正常人不同。他們掌管語音的地方不夠活化，從字形轉換到字音的解碼（decode）速度太慢，因為太慢（表示能力不足），當後面的字念出音來時，前面的字音已經消失了，所以得不出句子的意義。因為大腦的神經迴路有愈用愈發達、傳送的速度愈快的特性，研究者就訓練失讀症的孩子大聲朗讀，用活化掌管聲音部位的皮質來改進解碼的速度。

這個做法分學校和家裡二個部分，都很簡單。在學校中，當別人上閱讀課時，這些孩子到圖書館去朗讀給流浪狗聽。狗是人類最忠心的伴侶，牠不會因為念得慢而不耐煩，也不會因為聽了很多遍而不想聽，所以孩子可以在毫無心理壓力之下把字念出來，慢慢把解碼速度加快。在家中則是每天要玩半個小時的音素覺識（phonemic awareness）遊戲，如聽到「CAT」這個音，就要知道當去掉首音時，它的聲音就是「at」；「SAND」去掉首音，就是「and」。這個電腦遊戲設計的很有趣，所以每天半個小時對孩子來說，沒有問題（一般七歲兒童的專注力只有十分鐘）。**其實任何工作，不管多辛苦，只要有成就感，都可以繼續下去。**

研究者在大腦中，也看到失讀症孩子大腦神經細胞的活化缺乏同步性，所以他們的大腦很吵雜（noisy brain），這個吵雜使他們坐不住、靜不下來，這個不同步性在《自癒是大腦的本能》（*The Brain's Way of Healing*, by Norman Doidge, MD，遠流出版）一書的最後一章有詳細描述。目前的研究是用調整神經傳導物質（neurotransmitter）的方式來改進。

人的行為都跟大腦有密切關係，過去的訓練沒有什麼效是因為看不見大腦裡面運作的情形，現在知道閱讀跟念名（naming）速度有直接的關係，解碼愈快，閱讀效果愈好，對症下藥後，希望有好的效果出來。

我曾親眼看到一個成功克服閱讀障礙的例子：六十年代，瑪莉安是我們加州大學心理系的接線生，她工作勤快，每天面帶笑容跟所有的人打招呼，交待她的事一定使命達成，所以只要有缺，每屆系主任都想升她。但是她都婉拒，這令大家很不解，因為人是往高處爬的。這個謎一直到她六十歲退休時，大家要送她臨別禮物才解開；她說她不要任何東西，要我們教她閱讀。

原來她不能讀寫，所以不敢接受升遷。大家都好驚訝，問她：「你不認得字，每天這麼多電話訊息是如何處理的？」她的回答跟新加坡前總理李光耀的話一樣：「上天給你關個門，一定給你開個窗。」她的聽覺記憶很好，過耳不忘，她發展出一套自己的結繩記事方式：系主任是猶太人，鷹勾鼻就代表他，系主任太太打電話來交待她提醒系主任下班後去寵物醫院接狗回家，她就把狗鼻子畫成鷹勾鼻下面寫時間。她的方法很像中國的倉頡，自己創造出一套方法來應付工作需要，她反問我們：「你們都沒有察覺我給你們的訊息都是口語傳遞，從來沒有寫紙條嗎？」

她生在上個世紀經濟大恐慌的時代，沒有飯吃時，父母根本沒有時間和心情去管到孩子的學習。她對自己能找到接線生的工作很滿足，只是每晚睡覺前，都要把今天發生的事從頭到尾想一遍，確定沒有遺漏任何訊息才敢去睡，這種生活真的很辛苦，所以退休時，她決定把閱讀學會。她也在短短的二年之內，克服了閱讀困難，拿到她高中的文憑了。

在那麼早以前，還沒有閱讀障礙的篩檢，我不確定她是不是真正的閱讀障礙（最簡單的定義是智能正常，但閱讀能力低於二個年級，即三年級的正常兒童，閱讀程度只有一年級程度），但是她不能讀和寫是我們親眼目睹的。她的成功讓我們看到學習不分年紀、不在乎早晚，只要有信心、有方法、有決心，水到，渠自然就成了，因為大腦是可以改變的。

學習的重點是動機，而天賦則可以決定學習速度

學習最重要是動機，若是有天賦，做得輕鬆如意，不必督促自然會想再去做。只要學得會，快慢不是問題。

最近很紅的機器人學習方法（statistical learning）其實就是嬰兒的學習方法。打敗韓國棋王的AlphaGo並不知道什麼叫圍棋，它也沒有學過棋譜，它的開發者是把所有的圍棋資料統統輸入給AlphaGo，讓它自己去摸索學習，它用的方式就是statistical learning，跟嬰兒一樣，從經驗中學習。這個實驗最早是一九九六年美國認知神經科學家Saffran做的。

她給八個月大的寶寶聽一連串無意義的音節「golabupabikututibubabupugolabu

babupugolabupabikututibubabupugolabubabupugolabu」，大約十分鐘以後，她發現嬰兒可以分出重複的音段，他們會把babupu變成一個群組，pabiku變成另一個群組（這叫segmentation）。嬰兒學習語言就是透過重複的聽大人說話學會的，因為一開始時，大人的話對他們來說，就像babupu一樣沒有意義，但是聽久了，他們就會把音節分出來，再看大人是在什麼情境會說出這個音來，兩相比時，就學會這個字了，他們能從「亂」中找出「序」來，令我們很驚訝，人類的學習竟然是撥亂反正。因此，學習的曲線不是直線型而是波浪型，**孩子學習需要時間，把前後刺激融貫起來，找出意義，才能更上一層樓**。學習無法立竿見影，它需要時間去內化，重新組織，最後成為知識架構，所以真正有用的知識是有結構性的。

至於送孩子去學才藝，父母若是手頭寬裕，都會希望提供孩子最好的環境去學習。音樂通常是父母的第一個選項，因為音樂是最原始的語言，人天生對音樂有好感。孩子一開始可以嘗試各種樂器，但是一旦不想學了，不必勉強（勉強也沒有用）。通常他是碰到了瓶頸，即台階太高，力有未逮，跨不上去。

我們平常判斷這個孩子有沒有某方面的天賦是看他學起來是否輕鬆自如，若別人學得很辛苦，而他不費吹灰之力就達到目標，那麼他有這方面的天賦。這種孩子不會不願去上課，因為他在班上表現比別人強時，會滿足他的自尊心，會很樂意去。但是沒有這方面的天賦，碰到了瓶頸，自然會退縮，這也是動物的本能，大自然會引導動物去找另外一條路去達到目的地（螞蟻搬家時，若把一條路擋起來，他們會馬上繞路走，窮則變，變則通）。人是演化來的，因此碰到瓶頸會退縮是很自然的事。這時父母可以讓他去試別的才藝。

若是一定要他堅持下去也可以，不過打罵完了，他對這門才藝只有恐懼沒有喜好了。大提琴家馬友友的母親說，她從來不曾因為馬友友大提琴拉得不好而打他，因為一打，他對大提琴恐懼了，就不會再去摸它了。所以學習最重要是動機，若是有天賦，做得輕鬆如意，你不必督促他，他自然會想再去做。

父母一開始時不要就買鋼琴、小提琴給孩子。先去租，確定孩子要學了，再去買。不然很多父母是捨不得投資下去的樂器錢而逼著孩子非學不可，每天打罵、鬧得雞犬不寧，很損生活的品質。

每一個動物都有學習的本能，只要學得會，快慢不是問題，父母不必太操心。

環境可以改變心態，而心態可以影響他人

環境能改變一個人的心態，而這個心態又會改變這個人的行為，造成他人生的不一樣，而人生應該是操之在己的。

最近「表觀遺傳學」（epigenetics）很紅，有好幾本新書出來討論環境如何改變基因。人是基因和環境互動的產物，縱然身體裡有這個基因，環境還是可以使這個基因展現（express）或不展現出來。

說起來，這是合理的，人應該為自己的行為負責，假如是別人做的決定，一旦不如己意，人就會抱怨，去怪罪別人「都是他害的」。如果一個人把時間和精力放在找替罪羔羊上面，他就不可能有時間去改進了。所以丹麥哲學家齊克果

說：「生命只有走過，才能了解，往前看，才活得下去。」孔子也說：「成事不說，遂事不諫，既往不咎。」過去上課上到某些行為，如：暴力，是有基因上的關係時，我都很怕學生會覺得我天生就是這樣，就放棄努力去改變自己了。**人生應該是操之在己的。**

其實四十年前，心理學家就看到環境對人有影響，最有名的一個實驗是一九八一年，哈佛大學心理學教授艾倫・蘭格（Ellen J. Langer）做的，她把八個七十歲以上的老人送到修道院去住一個禮拜，在進修道院之前，她給老人們做各種心智和體能的測驗（這叫前測）。從影片上，我們看到這些老人都是老態龍鍾，走路要用拐杖，有的人甚至連自己的小皮箱都拎不動，要志工幫忙送到他的房間去。入住後，實驗者把時鐘倒轉，讓他們回到二十二年前，一九五九年的生活型態——所有播放的歌曲、看的黑白電視新聞、播的足球賽，都是當年的事，連盛食物的碗盤都是五〇年代流行的花色。一週後離開時，再給他們做心智和體能的測驗（後測），結果發現他們步履變輕了，拐杖也不需要了，以前吃飯需要有人把食物端到他面前，現在不但不必，還會站起來替別人服務。在修道院門口等車來送他們回家時，不但行李自己拎，有人還想模仿美式足球明星強尼・悠耐特斯（Johnny Unitas）去攻門（touch-down）。這些行為是他們在進了修道院之前，想都不敢想的。

這些改變非常令人驚奇，只能說這個實驗證實了美國哲學家也是心理學家威廉・詹姆斯說的「改變心態就改變生命」，因為心態變年輕了，他們的生理，不自覺地也跟著變年輕了。

去年夏天，我在貴州也看到一個九十歲的老人，每天爬坡上去種菜，他身手矯捷，動作俐落，說話口齒清楚（表示他腦筋動得很快），看起來只像六十歲，他沒有吃任何營養品，我覺得他的食物甚至是難以下嚥的粗糙。問起來，他說父母臨終交待要照顧他殘廢的弟弟，他每天必須要去耕作才能養活弟弟。報上也有登美國北卡州一百零一歲的老太太，因為每年替非洲貧童縫衣服作聖誕禮物，自己獨立生活到現在。所以美國有句諺語：「假如你認為你還年輕，你會持續成長，一旦你覺得你已經成熟了，那麼除了爛掉就沒有別條路可走了。」

環境能改變一個人的心態，而這個心態又會改變這個人的行為，造成他人生的不一樣。看到環境對心態的影響，又看到心態對健康的影響，現在台灣已經正式進入老人社會了，政府是否應該加把勁，改善經濟，讓每個人都能期待明天太陽的升起呢？

第六單元

生活處處是文章，也處處是學習

天下的知識是無限的，但沒有文化的人活不長；
要改變社會的不公平，先由自己做起。
我們要勇於與眾不同，而不隨波逐流；
使別人幸福才是唯一的幸福泉源。

「智者從別人的經驗中學習」，讓孩子從閱讀學習當智者

愚者從自己的經驗中學習，智者從別人的經驗中學習。現在的孩子有這麼多書可看時，趕快做個智者，打開書來看吧！

有個出版社在夏日的晚上舉辦閱讀活動，請不同領域的作家來講他們的閱讀心路歷程。

這真是個好主意，我一直認為父母給孩子最好的禮物就是把孩子帶進閱讀之門，因為大腦中，有專屬說話的器官（布羅卡區，Broca's area），但是沒有專屬閱讀的器官。閱讀是個雜牌軍，視覺、聽覺，大家湊合起來處理文字。因為文字的發明才五千年，在人類演化的歷史上太短了，短到來不及登錄到基因上。因此

說話是本能，閱讀是習慣，一個孩子只要生在正常的環境中，沒人教他說話，他會說話，但是沒人教他閱讀，他是文盲。

閱讀既然是習慣，就需要從小培養，父母若能在孩子小時候養成他閱讀的習慣，那麼他一輩子不會寂寞，就如誠品創辦人吳清友先生說的，「一個生命因閱讀而不再失落」。**人可以在人聲鼎沸的派對中感到寂寞，也可以一個人獨居而不感到孤單，只要有一本好書陪伴。**

閱讀在二十一世紀太重要了，因為眼睛一分鐘可以看六百六十八個字，耳朵卻沒有辦法在一分鐘內處理這麼多的訊息。前者是平行處理，可以一目十行；後者是序列處理，無法一次處理十個音。在資訊爆炸的時代，孩子一定要有閱讀的能力才能跟別人競爭。

我很遺憾生得太早，那時台灣貧窮，兒童幾乎無書可讀。我的童年沒有電視、沒有隨身聽，也沒有圖書館。每學期開學時，我們都迫不及待的把新發下來的課本全部讀完，我姐姐比我大五歲，她的課文深，看不懂，但也是囫圇吞棗地看，那時只要有字的東西我們都拿來讀。甚至連報紙的警告逃妻、遺失學生證、公車票的作廢聲明都看（當年遺失車票或學生證要登報聲明作廢後，才能補辦）。現在想起來也覺得不可思議，全校只有一份國語日報，而且在校長室。

我真正大量閱讀是在考上法律系以後，父親叫我看《拍案驚奇》、《今古奇觀》、《二十年目睹之怪現狀》，因為做法官的不可以不食人間煙火。這些小說告訴我，人行為背後都有原因，城府愈深的人，喜怒愈不形於色，別人就愈不知他葫蘆裡賣什麼藥，所以逢人只說三分話，未可全拋一片心，免得被騙。而且人心難測，得罪了人，「君子報仇十年不晚，小人報仇一天到晚」，日子就難過了。所以曹雪芹說：「世事洞明皆學問，人情練達即文章。」

這些社會百態若沒有透過小說去濃縮，人一生哪有那麼多時間去體驗？尤其刑期的考量是看動機，情有可憫者可減刑，法官非常需要知道人性。現代的孩子幾乎都沒有看過《三言二拍》——《警世通言》、《醒世恆言》、《喻世明言》和《初刻拍案驚奇》及《二刻拍案警奇》，或《隋唐演義》、《石點頭》、《東周列國志》等，其實這些書幫助我們了解人情世故、增加待人接物的圓融，因為不管社會怎麼進步，人心是不會變的。

愚者從自己的經驗中學習，智者從別人的經驗中學習。現在的孩子有這麼多書可看時，趕快做個智者，打開書來看吧！

天下的知識是無限的，但沒有文化的人活不長

天下的知識學不完，但是沒有文化的人活不長，文化是根，把根去掉，人就死了，至少在精神上是死了。

這次花蓮地震，有一個在美國工作的學生趕回來看他的父母。因為沒有假期，他來去匆匆，但在機場打了個電話給我，告訴我，他現在終於了解，為什麼我做他們導師時，一直叫他們要讀點中國的古書來增加自己的厚度，使年老時，靈魂有自己的故鄉了。

他說當年不能領會什麼叫「厚度」，靈魂為什麼要有「故鄉」，現在五十歲了，在異鄉特別能感受到中國文化和文學修養帶給他心靈的慰藉。

他說下班時，看到落日，會不由自主的想起「暮從碧山下，山月隨人歸」的詩句，白天在辦公室的種種不快，會因這句詩的意境而消失；中午同事出去吃午餐，他捨不得花七塊美金吃三明治，便走到公園去吃他的便當。美國一年四季景色不一樣，他一邊走，一邊想起「雲淡風輕近午天，傍花隨柳過前川」，心情因此而開朗。

他說妻子是美國人，文化背景不同，有些心靈深處的感受，他說不出來，說了她也不會懂。例如想到「人兒依著孤燈，梆兒敲著三更」，他彷彿看到母親倚門等他補習回來的景象。有時想家，想到「獨在異鄉為異客」，便覺得在冥冥中，也有個人在感嘆。在夜深人靜時，常常能安慰他的只有腦海裡的一些中國東西。

他的孩子離家去上大學了，他想告訴孩子，大富由天、小富由人，因為「歷覽前賢國與家，成由勤儉破由奢」，成敗在自己，但是沒有辦法，這個文化的代溝他跨不過去。

他說：「我了解為什麼文化是年老後靈魂的故鄉，因為那是我的根，我在這個文化中長大，我的思想、我的一切來自我小時候所讀的書、我生長的環境，這些已潛移默化到我的基因中，外力去不掉了。」所以每次回台省親，他都帶《唐詩三百首》、《古文觀止》那些他在年輕時，想都不會想去看的書回去。

他還想繼續說，但是登機的廣播響了，他在掛斷前說：「老師，天下的知識學不完，但是沒有文化的人活不長，文化是根，把根去掉，人就死了，至少在精神上是死了。請告訴學弟妹，古文要讀，那是一個人靈魂的歸依。」

放下電話，我很惆悵，在去中國化的大帽子，老師無能為力。但轉念一想，反正現在政府失功能，一切都靠民間在做，那麼就盡自己的力去做吧！

手足之情，應當濃於水

人老了，要靠手足來照顧，假如小時候沒有在一起玩，培養感情，你老了，他怎麼會犧牲休閒時間幫你呢？

一位在小學教書的學生來送喜帖，順便告訴我，她最近給班上學生出聯想詞的作業，結果「過年」的聯想讓她很驚訝，因為全班二十六個學生中，竟有八個寫「出國」，卻沒有一個寫「拜年」或「團圓」。她問，這個現象正常嗎？她覺得過去那種等待過年的興奮不見了，很可惜。

我也很覺得可惜，過年曾是我們那一代最期盼的日子，不但有魚、有肉（我們很小就知道，祖先吃得愈好，我們吃得愈好），而且過年不可以罵人，是一年中，唯一看到阿嬤不必轉身逃的日子（以前阿嬤一看到我們，就罵我父親竟然用白花花的銀子去栽培別人家的媳婦），所以我們是還沒過完元宵，就在期盼下一次的過年了。

現在交通發達，見面容易，過年已不像以前是一年一度全家人團圓的日子；至於拜年，現在人連面對面都在用手機溝通，遑論出門拜年？而且孩子們豐衣足食，不必等過年就什麼都有。同樣的東西少了期盼，味道就減少了一半，就像快樂需要分享，不然它會失去味道一樣。

過年出國的原因可能是為了減少互比紅包大小和年夜飯在誰家吃的摩擦。拋下過年的繁文縟節出國，對父母而言，的確是輕鬆了不少，卻剝奪了孩子跟姑表兄弟一起玩的機會。

在這個人工智慧（AI）席捲一切的時代，人跟人的接觸反而變得更重要，**真正能替你分憂解悶的是朋友，不是機器人**，因為機器人只能順著你的話，從語料庫中，找出事先設定好的句子，說出來安慰你，但它不能替你出主意、做判斷。不論安慰的言詞是否一樣，對人哭訴跟對機器人哭訴，感覺是不一樣的。

其實在少子化的現代，親情更重要。我們小時候，姐妹免不了會吵架，母親都說：「血濃於水，以後姐妹就是你世界上最親的人，要珍惜這個緣分。」後來我們結婚了，有了孩子，母親更是每年暑假都要我們帶孩子回來相聚，因為表兄弟有四分之一的血統相同。現在我們姐妹都退休了，更深刻感到母親的智慧和遠見，手足是另一個可以依賴的人，尤其年老後。

最近日本流行一個名詞「手足風險」——人老了，要靠手足來照顧，但是假如小時候沒有在一起玩，培養感情，你老了，他怎麼會犧牲他的休閒時間來幫你呢？這種互動無法用法律來規範，只能用親情來呼喚。

大腦有個認知儲備的機制，年輕時多用腦，年老時才有本錢找零。親情也是一樣。所以在孩子小時候，多給他們一些一起玩的機會吧。

名校並非保證，人的成就取決於所作所為

一個人能走多遠，取決於兩點：服務社會的意願和對志業的喜愛，它們的關鍵都在「熱忱」兩個字。

朋友的孩子考上台大，也考上北大，朋友堅持要孩子去念北大。結果開學才二個月，他就因北京的霧霾而嚷著要回來，朋友半夜來問我怎麼辦？

我問她：「你要孩子離鄉背井去念北大的原因是什麼？」她毫不羞愧地說：「累積人脈。」她說她不是名校畢業的，在工作升遷上，頗受名校畢業同事的排擠，所以她一定要孩子去念以後拿得出去的學校。

她的心情我了解。抗戰時期，西南聯大的劉文典就看不起同校的沈從文，因

為沈非清華、北大畢業。跑警報時，劉文典說他是為「莊子」而跑，你沈從文是跑什麼呢？

但是就長遠來看，不管念哪個學校，出社會後，就不重要了，因為最後在歷史留名的，不是你念哪個學校，而是你有沒有做出立德、立功、立言的三不朽。中國從隋文帝開科取士開始到清光緒末年，這一千三百年間，出了十五個三元及第——秀才、舉人、進士都是第一名的人，這是多麼不容易的事，但現在已經沒有人記得他們是誰了。**一個人若不能做出一番事業，最後只有與草木同朽，又何必在乎現在是念什麼學校呢？**

教育的英文是「educate」，源於拉丁文的「educare」，本意是「引出」。所以，教育只要做一件事：引出孩子內心的智能。

十九世紀牛津大學的學者若望・亨利・紐曼（John Henry Newman）說：「如果讓我必須在那種由老師管著、選夠學分就能畢業的大學和那種沒有教授和考試、讓年輕人在一起共同生活、互相學習三、四年的大學中選擇一種，我將毫不猶豫地選擇後者，為什麼呢？因為當許多聰明、求知欲強、具有同情心而又目光敏銳的年輕人聚在一起時，即使沒有人教，他們也能互相學習。現在的你和五年後的你，最大的差別在你所讀的書和所交的朋友。只要交到好朋友，在任何的校園中都一樣的。」

其實林語堂在《讀書的藝術》中，也說過同樣的話，他說：「讓學生每人每學期出一百元去買書，買來後堆在一間房間中，讓學生隨便挑他喜歡的去看。只要他在那間房中待的時間跟上課時間一樣多，他畢業時，學的知識比課堂上多，因那是主動在學習。」我們在大腦實驗中看到，只有主動學習才能促使神經連接。

很多父母鞭策孩子的目的是為了進名校，但是就如有識者所說的，為了進哈佛而進哈佛和因為對知識的渴望進哈佛是兩回事，前者的人生高峰在離開哈佛的一瞬間就結束了，而後者的人生在離開哈佛後才剛剛開始。一個人能走多遠，取決於兩點：服務社會的意願和對志業的喜愛，它們的關鍵都在「熱忱」兩個字。

看到我們的教育部在修改課綱時，沒有去因應未來世界的需求，而從意識形態去炒作，真是非常的憂心。史丹佛大學今年大一的必修課強調的是文化與思想，文學與藝術、哲學，社會科學與宗教思想。因為他們看到這些素養是機器人所缺的，是人類戰勝機器人的地方。他山之石可以攻錯，我們是否也可以反思一下呢？

孝順是迎合父母的習慣，而非讓他們改變自己

現代的孝順，不再是輪流把父母接到自己家中住幾個月，而是輪流到父母家中，照顧老人幾個月。

朋友趕在過年前，裝修好新房子，把他住在老家的父親接來過年，這是他的一番孝心。沒想到老人家半夜起來上廁所時，因為不熟悉新居的格式，習慣性地右轉想進房間，結果一頭撞上牆壁，倒地不起。朋友非常的自責，後悔走廊的燈沒有亮一點，出了這個意外。

其實這與燈沒有關係，是習慣的問題。他們老家的格式是廁所在臥室的左邊，所以上完廁所，右轉回房睡覺。搬來新家之後，突然之間，要左轉才能進房

門，一個做六十年的習慣不容易馬上改掉，就出了意外。

通常一個舊習慣至少要一週後才改的過來，更何況，老人家是睡夢中起來，大腦的皮質還未完全清醒，幾乎是靠皮質下的自動化歷程在運作（習慣的定義就是一個已經自動化的歷程）。所以即使燈點的很亮，老人若沒有注意，還是會轉錯邊。

為什麼凡人都有習慣？因為習慣能節省大腦的能源。我們生活中百分之六十的行為是習慣化的行為，因為大腦只有三磅，佔我們體重的百分之二，卻用到身體百分之二十的能源，所以把習慣盡量習慣化，好節省能源。我們都有這個經驗：早上匆忙出門趕上班，走在路上想：糟了，煤氣關了沒有？門鎖了沒有？其實，不要回去看，絕大部分時候是關了、鎖了，只是這個動作已經變成自動化，不佔用大腦資源，沒有留下記憶痕跡，就不記得了。

有個實驗是給受試者看一張他從來沒有看過的圖片，同時用腦磁波儀（MEG）和功能性核磁共振（fMRI）掃瞄他的大腦。當眼睛接觸到圖片的那一剎那，所有跟這張圖有關的神經元：管顏色的、亮度的、直線的、橫線的、角度的神經元都活化起來了，大家一起來辨識這張圖是什麼。當第二次再給受試者看這張圖時，上次做的好的神經元大量活化，但它同時送出抑制的指令給其他的神經元：我做得好，讓我做，你們去做別的事。因為大腦資源不夠，一定要分工，才能用最節省的方式把事情處理好。所以在大腦血流量圖上就看到圖第二次出現時，用到的能量就比第一次少了一些。當第三次再看到這張圖時，能量又繼續下降，到第四次時，線條已經平下來了。也就是說，三次以後，大腦用來辨識這張圖所需的能量只有第一次的一半了。好像我們一旦學會了開車，以後就能駕輕就熟，一邊開車一邊說話了。

習慣化（habituation）是最原始的學習，再低等的動物都有，因為珍貴的能源必須留起來作逃命用，一再出現，不會危害生命的刺激就不去理它了，這就是「入鮑魚之肆，久聞而不知其臭」的原因。因此在人類社會中，不管哪個文化，都告誡父母要從小養成孩子的好習慣，因為長大後再去改它，是十倍力氣都不見得改的過來。過去認為孝順是把父母接去自己家中住，每天晨昏定省，承歡膝下。後來發現很多老人家住公寓不久就生病了，說是水土不服。水土怎麼會不服呢？不是還是在同一個島、同一氣候區嗎？這個不服就是舊習慣改不過來，生活不便了。

很多老人家安土重遷，不肯搬去和子女住，因老家住習慣了，半夜不開燈，都摸得到廁所，住熟悉的環境心理沒有負擔，心理沒負擔，人的精神就愉快了。

時代在改變，觀念也跟著要改，現代的孝順，不再是輪流把父母接到自己家中住幾個月，而是輪流到父母家中，照顧老人幾個月。老人家像是孔子說的「北辰」，本身不動，子女們像眾星拱月般，輪流回來老家伺候，這樣老人才能用最少的大腦資源，平安地活到老。

改變社會的不公平，由自己做起

文明社會是讓所有人在公平的線上競爭，新的一年即將到來，想一想，自己可以做些什麼來改變這個不公平呢？

歲末，我們照例去認養的偏鄉學校看看他們下半年度有什麼需求。這次先看花東的學校。

在花蓮的早上，我買早餐時，突然發現攤子上有個人一看到我，立刻把帽沿拉低，埋頭做飯糰。但就在眼神接觸的剎那，我認出來了，他是當年部落裡很有潛力的男孩，受資助下山念書，學成在桃園就業。我很驚訝他怎麼賣起早餐呢？

原來他的老闆不堪一例一休政策搖擺不定的折磨，把台灣的工廠關掉去大陸工作。他說工廠有六十個員工，一人一天工資一千元，一天就要六萬元的薪水，新法加班要雙倍的錢，今年九月和十月不停地放假，老闆趕不出貨，對方要罰款，又要付額外的加班費，小工廠經不起大法令的折騰，無利潤自然就關廠，他就失業了。他說這種例子很多，他到處找不到工作，只好回部落，至少不必付房租。我問他妹妹呢？他說在老人院作看護，我聽了不勝唏噓。

多年前，我去他學校推廣閱讀，他來問我：「老師晚上想吃什麼？我去告訴中央廚房替您準備。」我好生驚訝：「你們學校這麼小，還有中央廚房喔？」他笑說：「靠海的阿美族有太平洋冰箱，我們靠山的布農族怎麼沒有中央廚房呢？中央山脈就是我們的廚房呀！」我發現這個孩子很有幽默感，碰到挫折很會四兩撥千斤。他很會模仿，學早上公雞啼或夜晚貓頭鷹叫幾可亂真。山上的孩子唱起歌來根本不需伴奏，完全不會走音，宛如天籟。可惜我們的政府沒有替原住民設立音樂學院或舞蹈韻律班，來培養他們的天賦。我每次看到愛因斯坦那句話：「每個人都是天才，如果用爬樹來衡量一條魚，那麼，這條魚終其一生都覺得自己是個笨蛋。」就會想起山上的孩子來。

約翰・葛里遜（John Grisham）曾說：「你怎麼能將一個住在狹窄公寓的單親孩子和一個有雙親、祖父母，甚至有家教的孩子相比？你怎麼能將一個父母英語不流利，甚至不會說英語的孩子和一個父母都有大學文憑的孩子相比？你怎麼能將一個父母在服刑的孩子和一個父親在行醫的孩子相比？你怎麼能將一個沒早餐可吃的孩子和一個早餐過於豐盛的孩子相比？你怎麼能將一個三歲就開始學前教育的孩子和一個根本沒有辦法上幼兒園的孩子相比？」他們是不能比的，用同一份考卷來評量他們是不公平的。

在去屏東的南迴鐵路上，打開報紙，赫然發現大溪高中鷹架倒塌，壓死五個工人，其中兩個是屏東的原住民，夫妻兩人把孩子留在部落，下山去打工，希望給孩子一個比較好的未來，想不到反而使他們沒有了未來。

這新聞令我非常的難過，誠如葛里遜所說，這些條件相差這麼遠的原住民孩子怎麼去和都會的孩子評比呢？

文明社會是讓所有人在公平的線上競爭，新的一年即將到來，我們來好好想一想，自己可以做些什麼來改變這個不公平呢？

沒有民族認同的國，怎麼會有家的感覺？

一個民族不能沒有文化自信。文化是國家的身分認同，是一個民族的靈魂，它需要透過教育來傳播。

一位久不聯絡的朋友最近來信，說他後悔一九九二年時，為了孩子的教育，沒有和我一起回台，現在孩子長大了，娶的都是外國人，不會講中文，如果母親不會講，孫輩當然更不會講。他哀嘆，為了孩子，他一生為人作嫁，現在老死他鄉，不知將來兒孫是否有中國的美德，來替他掃墓。

他說，他是念數學的，他想告訴也是念數學的孫子，南北朝時有個祖沖之（西元四二九年～五〇〇年），比歐洲早了一千年就算出圓周率是介於3.1415926

和3.1415927之間；知道一年是365.2428日，得出精準的閏年率；他還重新做出已經失傳的木牛流馬，可以施機自運，不勞人力，比諸葛亮的更好用；他的千里船在新亭江試行時，可以日行百餘里……。可是孫子不要聽，也不信他的話，等他搬出李約瑟的《中國之科學與文明》來，孫子才點頭。他很悲憤，為什麼爺爺講的中國人成就，孫子不相信，外國人講的才要信？

無獨有偶，他在校園中遇見二個台灣留學生，隨口問祖沖之的名字，竟然也不知道。他問，這是例外嗎？還是現在的年輕人已經不知道祖先的光榮歷史了？我們的民族自尊心到哪裡去了？他要我去問問看，現在的大學生有多少人知道祖沖之？

我哪裡敢問？現在政府全力去中國化——古文不讀，中國歷史不教，學生沒有機會認識祖沖之，遑論他的成就。這答案一定傷透老友的心。

一個民族不能沒有文化自信。文化是國家的身分認同，是一個民族的靈魂，它需要透過教育來傳播。現在的學生除了指南車、火藥和印刷術，幾乎講不出中國對世界文明的貢獻。

鄭和下西洋是世界歷史的大事，英國的海軍上將寫了一本《*When China Ruled the Seas*》，他說當鄭和的旗艦駛入非洲的港灣時，當地土著從來沒有看過這麼高、這麼大的船，他們的大腦竟然無法處理和解釋這個影像；現在非洲外島上，還有鄭和士兵的後裔。

我們的學生知道虎克船長發現了澳洲，不知道中國人更早就到過了澳洲，達爾文港有棵三百多年的大榕樹，倒下時，樹根露出了個土地公廟。

我們必須要教孩子他是從哪裡來的，**沒有民族認同的人是沒有根的人**。當人民沒有根時，這個國家要依附在哪裡呢？皮之不存，毛將焉附？

使別人幸福才是唯一的幸福泉源

人和動物的差異不是大家以為的語言，而是人類有文字的傳承和閱讀的能力，是所有動物中，唯一能享受到祖先智慧的動物。

誠品的吳清友走了，台灣在短短的五十天之內，走了二位標竿人物，令人唏噓。誠品的「一個生命因閱讀而不再失落」和齊柏林的空拍台灣一樣，都對我們造成莫大的影響。

在父母忙於生計，無暇顧及孩子的四十年代，書是啟發心智唯一的工具。那時放學後便是揹著書包去舊書店看書。女生不適合像男生一樣蹲在地上看，只能倚著牆壁（若有牆可倚）或是交換兩隻腳站著看。就這樣，我們也都看到忘記肩膀上書包的壓痕，和腿上蚊子的叮咬。可見當年學生對知識的渴望，以及有個可以看書地方的需求。因此當誠品這種可坐著閱讀的書店出現時，我們真是欣喜若狂，不能相信在寸土寸金的台北，會有人捨得把昂貴的空間擺上椅子讓不見得是顧客的讀者大方地享受閱讀的樂趣。也因為如此，我盡量去誠品買書，生怕它經營不下去時，台灣少了有品味的空間。

其實，人類跟黑猩猩有百分之九十八點五的基因相同，但是這區區百分之一點五的基因差別卻使我們現在享有這麼美好的文明，而牠們還在野外找東西吃。人和動物的差異不是大家以為的語言，而是人類有文字的傳承和閱讀的能力，是所有動物中，唯一能享受到祖先智慧的動物。一個孩子若不了解閱讀的重要性，就不會珍惜這個能力，也就無法體會「一個有閱讀習慣的人永遠不會寂寞」這種操之在我、不求人的心靈滿足。

尤其現在知識翻新的太快，人怎麼努力吸取新知都拚不過機器人時，心靈和生活境界的提昇就更加可貴。**閱讀使我們在茫茫人海中找到方向**，也就是誠品「一個生命因閱讀而不再失落」的宗旨。

我剛考上法律系時，父親叫我去讀《三言二拍》——《警世通言》、《醒世恆言》、《喻世明言》和《初刻拍案驚奇》及《二刻拍案警奇》——這些是描繪中國社會販夫走卒生活的小說。父親說法律不外乎人情，做法官的人一定要知道社會的真相，人若無法親身去體驗各種生活，那麼唯一的方式便是去讀好的小說。他也常問我對「沈小霞相會出師表」或「十五貫」等事件的看法。這些故事在我後來去美國留學，碰到不知該如何處理的事時，常會浮現出來指引我。年輕人往往看不見一件事二十年、三十年後的結果，但是小說濃縮了人生，讓你不會為眼前的短利斷送一生的機會。猶太的《傳道書》說：「已有之事，後必再有，已行之事，後必再行。」太陽底下的確沒有新鮮事，古人是你的楷模，也是前車之鑑，不能以古鑑今的人會被時代所淘汰。

世界上的確沒有什麼東西可以超越時空的限制，和死去的、尚未出生的、不在眼前的人對話。

諾貝爾說：「有錢不能使人幸福，幸福的泉源只有一個，就是使別人幸福。」誠品在吳先生的堅持下，已成為台灣的驕傲，他跟齊柏林都做到他們的夢想，不枉人間走一回了。

勇於與眾不同，不隨波逐流

在現代社會，因資訊獲得容易，評比壓力隨之也大，父母要有抗壓力才能保護孩子適性成長。

從最近的幾場親子講座中，我明顯地感到現代父母的焦慮，他們每天盯著孩子，若別人的孩子會了什麼，而自己的孩子還不會，就異常焦慮，甚至還會因此而打罵孩子出氣。

其實，歷史上很多偉人都是大器晚成的，王陽明就是到五歲才會說話。孩子開竅的早晚跟基因有關係，教養孩子要像燒東坡肉一樣，「待他自熟莫催他，火候足時他自美」，急不得的。

大腦若還沒有成熟，拚命訓練孩子只會使孩子恐懼學習。馬友友的母親說她從來不曾因為馬友友大提琴拉的不好而打他，因為打了他，他就對拉琴恐懼，一恐懼，他就不會去練琴，就不可能成為大師了。

孩子若有某方面的天賦，他會學得容易、表現得好。**成就感會使大腦產生正向的神經傳導物質——多巴胺。研究發現，成就感愈高，多巴胺愈多，他愈喜歡去做。**在現代社會，因資訊獲得容易，評比壓力隨之也大，父母要有抗壓力才能保護孩子適性成長。

有個實驗是請大學生來實驗室做視覺判斷的研究，準時到的話，酬勞加倍，所以學生會準時。當他來到時，發現室驗室門口已有五個人在等他了，實驗者一看到他，就立刻說：「好，他到了，我們可以開始了。」給他罪惡感，以為自己遲到了，就沒有機會發現原來其他人都是研究生假扮的。

進來後，實驗者請他們圍著圓桌隨便坐下。這時螢幕上出現一條直線，一分鐘後，直線消失，同時出現三條直線Ａ、Ｂ、Ｃ，他們要判斷哪一條線跟剛才的一樣長（正確的答案是Ｂ，Ａ跟Ｃ都比Ｂ短）。實驗者指定他旁邊的人開始回答，這時圓桌就發揮作用了，因為不論他坐哪裡，他永遠是最後回答的人。

當第一個人大聲說C時，C比B短了四分之三吋，明顯是錯的，他就冷笑不理；但是當第二個人也說C時，他開始覺得奇怪，是不是角度的關係，怎麼看的會不一樣？當第三個人也說C時，他就把眼鏡拿下來擦一擦：我這付眼鏡才配的，怎麼看得會不同？當第四個人也說C時，他的自信心開始搖動；等輪到他時，他低著頭，無奈地，很小聲地說C。這就是鶴立雞群的社會壓力。

敢跟別人不同需要勇氣。但是只要你敢站出來跟別人不同，你同時也給了別人勇氣，使他也敢站出來，最後邪就不勝正了。

父母不必把孩子跟別人比；對不必要的補習要大聲說No，不必怕別人嘲笑，只要有人開始不隨波逐流，力量匯集後，那個流自然就改正方向了。

春天讓人精神好，處處充滿生命力

春天是令人身心愉快的季節，我們應該珍惜不到一百個的春天，一有機會就要親近大自然，使身體和精神都健康。

一個學生來跟我請假，說要陪父母去日本看櫻花，理由是我上課談到光與情緒，說了「一個人即使生活到一百歲，也只有一百個春天，要珍惜」。因此他要請假來珍惜他的春天。他最後一句是「反正春天不是讀書天」。我聽了啼笑皆非，現在的孩子跟以前很不同，不會去思考語言背後的意思，也不懂得判斷事情的輕重緩急，只會抓住一句話就振振有詞的來辯說：「我就是根據你說的話去做呀！」

不管春夏秋冬，人生每分鐘都要珍惜，但是春天的確有不一樣的地方，因為當日照變長後，動物和植物都會因此而顯現出生命力。北歐人民在冬天常患有季節性的憂鬱症，但是當日光變長了，厚重的冬衣脫下後，感覺就輕鬆了，人的心情就變好了，憂鬱症就消失了。植物也是一樣，日光長就開始抽芽，到處一片綠油油，令人心曠神怡，所以每個國家都有春假，西方是復活節，我們是清明節，讓人們去郊外踏青，讓天上的陽光帶給我們活力，讓腳踩的土地帶給我們生氣。

過去我們並不知道光線對我們的健康和情緒有這麼重大的影響。最初是南丁格爾在克里米亞戰爭時，發現死在醫院的士兵比死在野戰醫院的多，野戰醫院的條件比不上正規醫院，為什麼會如此呢？原來野外有流通的空氣和充分的陽光；她又發現醫院中，靠窗病床的病人恢復的比靠門的病人快，這就更加深她的想法，最主要是她發現推病童去外面晒太陽後，他們的精神比較好，恢復的比較快。因此她堅持醫院的建築一定要注意採光，要有「南丁格爾天井」，讓每間病房至少要有一扇窗戶，使陽光可以射進來。

後來的研究發現陽光的確可以治病。早期對肺病束手無策（茶花女、林黛玉都是死於肺病），唯一方式是療養，靠自己身體的免疫力打敗結核桿菌。有醫生發現在瑞士山區療養的病人，恢復的比較快，原來高山空氣新鮮，又因為高，不那麼熱，太陽可以晒久一些，身體就比較容易復原。

春天在治療上還有一個特殊的地方，就是人喜歡看到生命，不喜歡看到死亡，生長是個希望，人需要希望才會健康。有個實驗是研究者去養老院跟東廂房的老人說：「這裡有一盆花，你不必管它，護士會進來澆水。」對西廂房的老人說：「這裡有一盆花，你要負責照顧它，死了要賠。」一年後，發現西廂房的老人活的比東廂房的長，因為每天照顧花時，老人看到生命的茁長，它是希望，人就活得長了。

春天是一個令人身心愉快的季節，我們的確應該珍惜不到一百個的春天，一有機會就要親近大自然，使身體和精神都健康，也要利用新鮮空氣使腦筋清楚的時候，把書讀進去。春天原是讀書天，是一個對身心都有利的季節，請好好的利用它。

演講是專業者的精華，更是吸收知識最快的方法

一場二個小時的演講，講者至少要準備六個小時，講的是這個領域的精華或最新發展，聽講一場，勝讀一本書。

我在飛機上遇見一位矽谷的工程師，他告訴我，我曾去他的學校演講，但是他沒有去聽，因為當時覺得那是不相干領域、浪費時間。現在進入職場了，才了解**聽演講是吸取知識最快的方法**。一個人一定要懂，才說的出來，所以講者多半是這個領域的專家。而一場二個小時的演講，講者至少要準備六個小時，講的是這個領域的精華或最新發展，聽講一場，勝讀一本書。他說難怪以前系所每學期都會規劃一系列的演講，要求他們去聽。我想起以前在美國時，碰到大師來加

州，即使不在本校，大家也會共同開車去別的學校聽，聽演講的確受益良多。

聽演講還會幫助創造力，因為創造力來自不同領域知識的觸類旁通，各種知識愈多，愈會有創意出來。神經活化時，電流從神經迴路上快速通過，它會因為神經連接的很密，而誤跳到鄰近的另一條迴路上，使它也跟著活化，讓本來不在預定路線上的神經也被啟動，新的點子就出來了。所以早期美國長春藤學校都設有喝咖啡的交誼廳，盡量鼓勵不同領域的老師和學生來交換意見和心得。我在加州大學時，系裡每個星期四下午三點鐘提供咖啡和甜甜圈，後來這筆預算被不懂學術的政客砍掉。但是直到現在，仍有許多研究機構，如哈斯金實驗室，還保持這個傳統，因為那是創意的來源。

跨領域的交流很重要，現在AI很紅的「深度學習」（deep learning）就是嬰兒學習母語的方式。這個實驗是給一個八個月的嬰兒聽一連串重複的無意義音節（如golabupabikututibubabupugolabubabupugolabupabikututibubabupugolabubabupugolabupabikututibubabupu……），十分鐘後，嬰兒就會把這些音節斷成golabu，pabiku，tutibu，babupu…。大腦有從雜亂中找出意義的本能，輸入的訊息愈多，大腦愈能找到規則，電腦的深度學習就是這樣學習的。所以當醫生把大量的大腦掃瞄圖輸入電腦後，電腦就學會歸納出正常的和不正常的腦，提供醫生作診斷。

這個年輕人說現在他們研發小組不但有讀書會，老闆還會三不五時進來聽他們報告心得。這二十分鐘的心得分享，他得準備三個小時，有時還不夠，所以現在很後悔，在校時沒有養成聽演講的習慣。

他的話令我很感慨，台灣學生到現在還是沒有聽演講的習慣。溫世仁基金會每年捐五百萬元請諾貝獎的大師來台演講，但成效不彰，所以二〇一八年不辦了。要請一個大師來，前置作業很辛苦，大約早在一年前，就得寫信邀請，還得放下自己的研究安排住宿、機場接送等，為的是打開學生的眼界，讓他們看到大師的風範，成功從來不是僥倖或偶然。鄭貞銘教授在《百年風華》中說「現在學生缺少典範」，的確如此，但是典範的影響是潛移默化，要接觸，才會被影響。

現在報上常有許多各種免費演講的消息，希望父母能多多帶孩子一起去聽，一方面充實自己，一方面也養成孩子聽演講的習慣，這對他以後要在團隊中工作有利。

睡眠不足與酒駕一樣會有注意力不足問題

人在極度疲勞時會微睡眠，即眼皮會不自覺暫時閉上一秒到三十秒，因為不自覺，所以不知道眼睛已經閉上。

今年要選舉，我的朋友趕著搬家，因為他家在大馬路上，每逢選舉，宣傳車就吵到他失眠。他說噪音會降低孩子的IQ，睡眠不足會影響他的健康，所以非搬不可。

我們平常不覺得睡眠不足有什麼了不起，其實它會造成心血管疾病、肥胖、失智、糖尿病和癌症。

有一個研究是請二組學生來實驗室睡六天，第一組每晚只准睡四個小時，第二組可睡八個小時。六天後，實驗者在徵得他們同意之下，將感冒病毒噴入他們的鼻腔，然後看被感染的情形。結果發現第一組百分之五十的人發病，而第二組只有百分之十八。而且即使病癒了，第一組的免疫力還是沒有恢復到百分之百的程度。我們很驚訝少睡幾個小時，免疫力竟然就下降了百分之五十。若是每個人都能睡飽，相信健保可以節省很多開支。

睡眠不足會嚴重影響注意力，當受試者連續幾個晚上都睡不足五小時時，他們對銀幕上光點的反應時間和正確率都下降。

其實睡眠不足比酒駕還更危險，研究者給一組受試者喝酒喝到法律規定可以開車的上限，另一組則十九小時不准睡覺。結果發現睡眠剝奪者在注意力測驗上的表現跟酒醉者一樣。假如你上午七點起床，忙一天到半夜兩點開車回家的話，你對路況的注意力跟酒駕一樣。而且喝酒和疲勞合在一起的作用不是相加，而是相乘，很多人以為喝酒可以解疲勞，其實愈喝愈糟，酒駕是害人害己。

人在極度疲勞時會「微睡眠」（microsleep），即眼皮會不自覺地暫時閉上一秒到三十秒，因為不自覺，所以不知道自己的眼睛已經閉上了，會出事。我有一個朋友加班到清晨三點才回家，他知道自己很累，但想只剩幾百公尺就到家了，撐到回家再去睡，結果在家門口撞樹。若是在高速公路，那麼只要二秒微睡眠就會出車禍。

實驗發現，若前一夜睡不到五個小時，出車禍機率增加三倍，而睡不到四個小時，出車禍機率增加十一點五倍。**酒醉是慢踩煞車，微睡是沒踩煞車，都會致命。**

政府最近把勞工法變成連續工作十一天，中間每天休息八小時。我看了以後很憂心，八個小時扣去路上交通時間，實際睡眠時間是不夠的，過度疲勞所造成的傷害恐怕不是這些立法者所能想像的。

閱讀素養是國家未來的競爭基礎

人類是所有生物中，唯一享受祖先智慧的動物，我們有文字的傳承和閱讀的能力，得以站在巨人肩膀，超越其他動物。

這次PISA比賽，我們閱讀素養的成績從二○一二年的第八名退步到第二十三名，落後新加坡、日本、韓國、香港和澳門。雖然教育部解釋說是學生不熟悉電腦作答的關係，但是從評量是百方之二十五的資訊擷取和檢索、百分之五十二的統整和解釋、百分之二十三的省思和評鑑來看，考不好顯然不是不習慣電腦作答，而是我們學生看不懂長的句子，所以無法整合文章意義，又因閱讀廣度不夠，對陌生的題材無法擷取必要資訊去作解釋和評鑑。學生答題用猜的，怎麼可能考得好？

第一線的數學老師都知道，應用題只要文字稍多一點，學生便不會做，因為他們無法剔除不相干的資訊，抓不住題目的重點，若把題目改為四則運算題，便又會了。就如一個媽媽抱怨的：「我的孩子不是數學不好，是看不懂題目！」所以教育部要增設數位化閱讀的硬體設備是bark on the wrong tree。硬體不是不重要，只是從上述的分析看來，深化閱讀才是改變的重點。

閱讀是習慣，不是本能，它需要有人帶，才能進門，老師就是領航員，政府不能拿老師去做年金改革的祭旗，**老師要被尊重，才能好好教學**。今天的問題不在看電腦螢幕，而在學生根本看不懂文章在講什麼。

我每次看到報紙：某人大學畢業後，在家準備三年，終於考上高考；某人考了十二年還是落榜，都很感慨。如果剛畢業的大學生考自己本行的高考都要準備三年才考得上，這表示在學校裡沒有學到東西，不然怎麼才考完畢業考就把所學還給老師，還要在家中苦讀三年才考得上？至於考了十二年沒有上的學生應該檢討一下，或許自己不適合這個領域。

我曾改過高考的卷子，發現很多時候不是考生沒有念，而是有念沒有懂，看不懂題目在問什麼時，只好從關鍵字去猜，把背的東西，不管相不相關，好像打補丁，東一塊西一塊，塊塊不相干，洋洋灑灑一大篇，沒有一句是重點；有時是考生字跡太潦草，東倒西歪，閱卷者無法辨識。總結起來，都是文字閱讀的問題。試想，一個要去服務老百姓的公務員，文句不通，滿紙錯別字外加注音符號，怎麼能上榜呢？

人類是所有生物中，唯一可以享受祖先智慧的動物，因為我們有文字的傳承和閱讀的能力，這使我們站在巨人的肩膀上，遠遠超越其他動物。閱讀能力是二十一世紀國家的基本競爭力，事到如今只好趕快亡羊補牢，誠實面對問題，不逃避，才能對症下藥，不然明天就不屬於我們了。

聽懂老人的智慧，虛心接受並遵守

根深不怕風搖動，樹正無愁日影斜。是你的朋友會知道你是誰，不是你的朋友，不必在乎他的看法。

朋友有一雙巧手，常醃製時令蔬果放在我家門口讓我驚喜。但是昨天她來電說不方便出來，請我去拿。我以為她生病了，想不到是她鄰居為了一點小事對簿公堂，她若在電梯間被碰到，會被迫聆聽對方的不是，她不堪其擾又不得脫身，只好盡量少出門。

她說現在手機可以隨時隨地錄音錄影，很容易惹上官司。她有個朋友在勸架時，說了一句「你不要跟他一般見識」結果公親變事主，也被告了。

打官司勞民傷財，孔子把興訟當作行政績效的指標，說：「聽訟，吾猶人也，必也使無訟乎。」談到官司，人人害怕，倒是我父親教過我一個好方法，可以避禍。

我小時候，父親不許我們講髒話。在跟同學吵架時，我不能用同等級的話罵回去，很是吃虧。我回家就向父親抱怨，父親問我：「如果有人送你禮，你不想要時，怎麼辦？」我說：「退還給他。」父親說：「對，下次有人罵你時，你就說，你的髒話我不收，請你拿回去。」當那位同學又來罵我時，我就跟他說：「你罵我的話，我不收，現在全部退還給你。」他一時間，不知該怎麼回答，總不能說，我不要我自己的吧！他就走開，下次不來惹我了。

人類花二年的時間學會說話，卻花一輩子時間去學不說話。父親說，禍從口出，守好你的嘴巴，煩惱就減少一半。「止謗無辯也」，狗對你叫，你也對他叫，人家不知道誰是狗。我說：名譽是人的第二生命，你不辯白，以後積非成是，就辯不了。洪邁在《容齋隨筆》中說：「一點清油污白衣，斑斑駁駁使人疑，縱然洗遍千江水，不似當年未污時。」怎麼可以不辯呢？父親說，就是因為這樣，人才要學會「忍」，根深不怕風搖動，樹正無愁日影斜。是你的朋友會知道你是誰，不是你的朋友，不必在乎他的看法。

年輕時，很不能接受這種看法，只是不敢跟父親辯。現在馬齒徒增，閱歷多了，真是覺得老人是個寶，父親的話阻止了我很多不必要的生氣和無謂的紛擾。人只能做自己，不然就交不到真心的朋友，因為沒有人會跟虛偽的人交往。

最重要的人際關係是你和自己的關係，你要看得起自己，別人才會看得起你。

快樂的祕密在不讓很多瑣碎的事煩擾自己的心。好萊塢天王巨星保羅・紐曼（Paul Newman）和瓊安・伍沃德（Joanne Woodward）結婚五十年以上，是影劇圈的奇蹟。紐曼曾對記者說，家裡有牛排，何必去外面偷吃漢堡？瓊安不會用瑣碎事情來煩我，她從來不曾在我們外出回家時，問我應該給幫忙看孩子的保姆多少工錢。

說實在話，很多吵架，事過境遷後，都想不起來為什麼生氣，許多人錯過屬於自己的快樂，不是因為沒有找到快樂，而是沒有停下來享受它。

老人的智慧和經驗可以幫助很多年輕人避免挫折和煩惱，把時間和精力用在發展事業上。現在人退休後，幾乎還有三十年可活，《禮運大同篇》說：「人盡其才，物盡其用。」把老人當資源而不是負擔，是我們現在要轉念的。

大眾心理館 415
洪蘭作品集 15

有理最美

作　　者 —— 洪蘭博士

主　　編 —— 陳莉苓
特約編輯 —— 楊孟蓉
封面設計 —— 江儀玲
行　　銷 —— 陳苑如

國家圖書館出版品預行編目（CIP）資料

有理最美 / 洪蘭著 .
-- 初版 . -- 臺北市 : 遠流 , 2019.01
面；　公分
ISBN　978-957-32-8424-6 (平裝)
1. 言論集
078　　　　　　　　　　　　107021350

發 行 人 —— 王榮文
出版發行 —— 遠流出版事業股份有限公司
100 臺北市南昌路二段 81 號 6 樓
郵政劃撥／0189456-1
電話／02-2392-6899
傳真／02-2392-6658
著作權顧問 —— 蕭雄淋律師

2019 年 1 月 1 日 初版一刷
2020 年 9 月 16 日 初版四刷
售價新台幣 —— 360 元

ylib 遠流博識網
http://www.ylib.com　　e-mail:ylib@ylib.com

有理最美

有理最美

有理最美

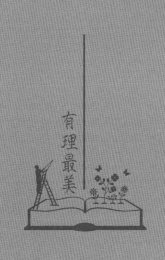

有理最美